Um doce aroma de morte

Um doce aroma de morte

Guillermo Arriaga

Tradução:
Joana Angélica d'Avila Melo

GRYPHUS

Rio de Janeiro
2007

Título do Original
Un Dulce Olor a Muerte

Produção Editorial
Gisela Zincone

Editoração Eletrônica
Rejane Megale Figueiredo

Revisão
Adilson dos Santos

Capa
Studioormus.com

1ª edição – 2007
1ª edição – 2008 – 1ª reimpressão

CIP-Brasil. Catalogação-na-fonte.
Sindicato Nacional dos Editores de Livros.

. . . .

A811d

Arriaga Jordan, Guillermo, 1958-
Um doce aroma de morte / Guillermo Arriaga Jordan ;
tradução Joana Angélica d'Avila Melo. - Rio de Janeiro : Gryphus, 2008.

Tradução de: Un dulce olor a muerte
ISBN 978-85-6061-001-3

1. Romance mexicano. I. Melo, Joana Angélica d'Avila. II. Título.

07-0746. CDD: 868.99213
CDU: 821.134.2(72)-3

08.03.07 08.03.07 000629

. . . .

GRYPHUS EDITORA
Av. Erasmo Braga, 299 – 7º andar. 20020-000
Rio de Janeiro – RJ – Tel: (0XX21) 2533-2508 – Fax: (0XX21) 3380-6667
www.gryphus.com.br – e-mail: gryphus@gryphus.com.br

Sumário

A Maru, para sempre

Capítulo I

Adela

1

Ramón Castaños estava espanando o balcão, quando ouviu ao longe um grito penetrante. Aguçou os ouvidos e só escutou o rumor da manhã. Pensou que havia sido o pio de uma das muitas aracuãs que ciscavam pelas redondezas. Continuou sua tarefa e dispôs-se a limpar uma prateleira. De novo ressoou o grito, agora próximo e claro. E a esse grito seguiu-se outro, e mais outro. Ramón abandonou a prateleira e, com um salto, transpôs o balcão. Foi até a porta para ver o que estava acontecendo. Era domingo cedo e ele não avistou ninguém, mas os gritos se tornaram cada vez mais frenéticos e contínuos. Caminhou até o meio da rua e, a distância, distinguiu três meninos que corriam em sua direção, berrando:

– Uma morta! Uma morta!

Ramón se adiantou e atalhou um deles, enquanto os outros dois sumiam por entre as casas.

– O que foi? – perguntou.

– Mataram uma mulher! Mataram uma mulher! – bradou o menino.

– Quem? Onde?

Sem responder, o garoto arrancou na mesma direção por onde havia chegado. Ramón o seguiu. Correram ao longo da trilha que conduzia ao rio, até chegarem a um campo de sorgo.

– Ali! – exclamou o menino, sobressaltado, apontando uma das margens do terreno.

O cadáver jazia entre os sulcos. Ramón se aproximou devagarinho, com o coração disparando a cada passo. A mulher estava nua, caída de rosto para cima sobre uma poça de sangue. Assim que a viu, ele não pôde mais tirar os olhos de cima dela. Em seus dezesseis anos, várias vezes já sonhara contemplar uma mulher nua, mas nunca imaginara encontrá-la daquele jeito. Mais com assombro do que com luxúria, percorreu com o olhar a pele suave e inerte: era um corpo jovem. Com os braços estirados para trás e uma das pernas ligeiramente dobrada, ela parecia pedir um abraço final. A imagem o transtornou. Ele engoliu em seco e respirou fundo. Percebeu o doce aroma de um perfume floral barato. Teve vontade de dar a mão à mulher, levantá-la e mandá-la parar com aquela mentira de que estava morta. Ela continuou nua e quieta. Ramón tirou a camisa – sua camisa de domingo – e cobriu-a o melhor que pôde. Ao se aproximar, reconheceu-a: era Adela, e tinha sido apunhalada pelas costas.

2

Guiados pelos outros meninos, chegaram em tropel vários curiosos. Apareceram pela trilha fazendo estardalhaço, até quase tropeçarem no cadáver. O espetáculo da morte calou-os de repente. Em silêncio, circundaram o lugar. Alguns esquadrinharam furtivamente a morta. Ramón se deu conta de que o corpo ainda mostrava sua nudez. Com as mãos, cortou umas hastes de sorgo e cobriu com elas as partes expostas. Os outros o observaram, admirados, como intrusos irrompendo em meio a um ritual privado.

Um homem gordo e grisalho abriu caminho. Era Justino Téllez, administrador comunal de Loma Grande. Deteve-se um instante, sem se atrever a ultrapassar o círculo em torno de Ramón e da morta. Preferiria ficar à parte, como se fosse mais um na multidão. Mas era ele a autoridade, e, como tal, devia intervir. Cuspiu no solo, adiantou-se três passos e trocou com Ramón umas palavras que ninguém escutou. Ajoelhou-se junto ao corpo e levantou a camisa que o cobria para observar-lhe o rosto.

Justino Téllez examinou o cadáver durante um bom tempo. Por fim, cobriu-o de novo e ergueu-se com dificuldade. Estalou a língua, puxou do bolso da calça um lenço e enxugou o suor que lhe escorria pela cara.

– Tragam uma carroça – ordenou –, precisamos levá-la para o povoado.

Ninguém se mexeu. Ao ver que ninguém cumpria sua ordem, Téllez perscrutou os diversos rostos que o observavam e se deteve no de Pascual Ortega, um rapazinho magricela, desengonçado e cambaio.

– Ande, Pascual, vá buscar a carroça do seu avô.

Como se o tivessem despertado subitamente, Pascual olhou primeiro para o cadáver e depois para Justino, girou a cabeça e saiu correndo em direção a Loma Grande.

Justino e Ramón ficaram frente a frente, sem falar. Alguns curiosos perguntaram, entre sussurros:

– Quem é a morta?

Embora, na realidade, ninguém soubesse quem era ela, uma voz anônima sentenciou:

– A namorada de Ramón Castaños.

Durante alguns segundos, ergueu-se no ar um zumbido de murmúrios; depois se impôs um silêncio pesado, rompido apenas pelo esporádico chiado das cigarras. O sol começou a abrasar o ar. Um bafo quente e úmido se desprendeu da terra. Não soprava uma brisa sequer, nada que refrescasse aquela carne inerte.

– Foi esfaqueada há pouco – assegurou Justino em voz baixa. – Ainda não está rígida nem foi comida pelas formigas.

Ramón o encarou, desconcertado. Téllez prosseguiu, em voz mais baixa ainda:

– Não faz nem duas horas que a mataram.

3

Pascual chegou com a carroça e a estacionou o mais perto possível da vítima. As pessoas se afastaram e ficaram esperando um bom tempo, até que Ramón, decidido, meteu os braços por baixo do cadáver e o suspendeu, com um impulso. Sem querer, uma de suas mãos tateou o ferimento pegajoso e ele, sobressaltado, puxou-a bruscamente. A camisa e as hastes de sorgo resvalaram e a mulher voltou a ficar nua. De novo, olhares mórbidos bisbilhotaram a pele exposta. Ramón tentou resguardar o frágil pudor de Adela: deu meia-volta e, de costas, esquivou-se dos sulcos. Os outros recuaram para lhe dar passagem, sem que ninguém procurasse ajudá-lo. Vacilante, ele se aproximou da carroça e, com suavidade, depositou o corpo exangue sobre o estrado. Pascual lhe estendeu uma manta para cobri-lo.

Justino se aproximou, verificou se tudo estava direito e decretou:

– Pode levar, Pascual.

O rapaz subiu à boléia e incitou as mulas. A carroça avançou aos trambolhões, enquanto o cadáver se balançava em cima das tábuas. A multidão foi atrás. Entre os que iam no cortejo fúnebre, confirmou-se o boato: mataram a namorada de Ramón Castaños.

Justino e Ramón permaneceram imóveis, vendo o cortejo partir. Ainda transtornado pelo contato com aquela carne tépida, Ramón sentiu que suas veias se incendiavam. Teve saudade do peso que acabava de carregar: lamentava ter-se separado de algo que lhe pertencia desde sempre. Observou os próprios braços: tinham ficado riscados por tênues manchas de sangue. Fechou os olhos. De repente, brotou nele um vertiginoso desejo de correr atrás de Adela e abraçá-la. A idéia o perturbou. Ele achou que ia desmaiar.

A voz do outro o despertou:

– Ramón – chamou Justino.

Ele abriu os olhos. O céu estava azul, sem nuvens. As touceiras de sorgo, avermelhadas, prontas para a colheita. E a morte era a lembrança de uma mulher em seus braços.

Justino se inclinou e apanhou a camisa, que ficara jogada no chão, e a entregou a Ramón, que a recebeu maquinalmente. Também a camisa estava tingida de vermelho. Ramón não a vestiu: amarrou-a à cintura.

O administrador se aproximou dele, parou e coçou a cabeça.

– Vou lhe confessar uma coisa – disse. – Não faço a mínima idéia de quem era a morta.

Ramón suspirou levemente. Podia-se dizer que tampouco ele sabia. Mal a tinha visto cinco ou seis vezes, as mesmas em que ela aparecera em sua venda para comprar alguma coisa. Como gostara muito dela – era alta, de olhos claros –, tinha procurado saber seu nome. Juan Carrera o informou: Adela. Só sabia isso sobre a jovem, mas, agora que a sentira junto de si, tão nua e tão próxima, tinha a impressão de conhecê-la a vida toda.

– Adela – balbuciou Ramón –, chamava-se Adela.

Justino franziu a testa: aquele nome não lhe dizia nada.

– Adela – repetiu Ramón, como se essa Adela dispensasse sobrenome.

– Adela de quê? – inquiriu Justino.

Ramón deu de ombros. O administrador comunal baixou o olhar e explorou a área em torno do ponto onde antes se encontrava o corpo e que agora era ocupada por uma grande mancha de sangue.

Entre os torrões endurecidos e gretados, percebiam-se tenuemente algumas pegadas. Justino as rastreou: entravam pela plantação e se perdiam em direção ao rio. Ele se agachou e mediu-as com a mão. Uma das marcas dava um palmo: a de Adela. Outra, um palmo e três dedos: a do assassino. As pegadas dela correspondiam a pés descalços e as dele, a botas de vaqueiro com salto alto.

Justino respirou fundo e concluiu:

– O sujeito que a matou não era nem alto nem baixo, nem gordo nem magro, certo?

Ramón assentiu quase involuntariamente: não o havia escutado. Justino remexeu um pouco de terra com o sapato e continuou:

– Ela foi morta com uma faca grande e afiada, porque lhe perfuraram o coração com um só golpe.

Olhou ao redor em busca da arma. Não a encontrou e prosseguiu:

– Caiu de bruços, mas o assassino a virou de frente para ver o rosto dela e assim a deixou... como se não tivesse terminado a conversa.

Um bando de pombas-asa-branca passou voando acima dos dois. Justino acompanhou-as com o olhar até que elas se perderam no horizonte.

– Era uma morta muito jovem – disse, como se falasse sozinho –, por que foi assassinada, caralho?

Ramón não teve ânimo nem mesmo para se virar e olhar para ele. Justino Téllez cuspiu no chão, segurou-o pelo braço e o conduziu pela trilha.

CAPÍTULO II

A escola

1

Os dois retornaram a Loma Grande. Os integrantes do cortejo os aguardavam imóveis, enquanto o cadáver de Adela se inchava de sol e poeira sobre a carroça. Outros vizinhos tinham se unido ao grupo. Entre eles, também correu o rumor: assassinaram a namorada de Ramón Castaños.

Jacinto Cruz – matador de reses e coveiro no cemitério do povoado – aproximou-se de Ramón.

– O que vamos fazer? – perguntou.

Um tanto aborrecido, Justino se interpôs: como autoridade, era a ele que deviam perguntar.

– Levem a moça para a escola – ordenou.

Jacinto escutou a ordem e, quando se afastava para cumpri-la, Justino o deteve.

– E avisem aos pais dela.

Jacinto o encarou inquisitivo.

– E quem são?

Téllez deu de ombros e virou-se para Ramón à espera de uma resposta, mas Ramón também não sabia.

– Eu conheço – disse Evelia, mulher de Lucio Estrada. – Eles moram logo depois da casa de Macedonio Macedo.

Até alguns meses antes, a casa de Macedonio era a última de Loma Grande. Mas chegava tanta gente de fora para se estabelecer no povoado que os limites mudavam de uma semana para outra.

– Pois então, Evelia, me faça o favor de dizer a eles o que aconteceu – pediu Téllez com voz rouca.

Adela foi transportada para a escola. Sem perceber, Ramón encabeçou a procissão fúnebre. A multidão não se moveu até que ele desse o primeiro passo.

Deitaram a morta no piso de uma das duas salas de aula da escola. Por baixo colocaram uma esteira, para que ela não se sujasse ainda mais de terra, e cobriram-na com a manta de Pascual. Alguém acendeu quatro velas nos quatro cantos que limitavam o cadáver. A sala começou a se encher. Apertavam-se uns contra os outros para situar-se o mais perto possível da ação. Apesar do frenesi, a multidão não violou – como se tivessem sido demarcadas fronteiras invisíveis – o espaço que Ramón ocupava.

2

Em meio ao tumulto e ao mormaço, aproximou-se de Ramón seu primo Pedro Salgado.

– Meus pêsames pela sua namorada, primo – disse.

Ramón o encarou, confuso.

– Que namorada?

Pedro o abraçou. Em seu hálito era evidente o cheiro de álcool.

– Estou com você, primo – sussurrou-lhe ao ouvido. Depois soltou-o, despiu a camisa e a entregou a ele.

– Tome, para você não ficar descomposto numa hora tão difícil.

Ramón se deu conta de que não tinha vestido a sua.

– Não, obrigado – disse, envergonhado, mostrando aquela que trazia amarrada à cintura –, a minha está aqui.

Pedro o fitou com expressão perplexa. Abriu a boca e bateu no peito.

– Primo, a sua está suja e eu lhe dou a minha do fundo do coração.

Atordoado, Ramón pegou a camisa do outro e agradeceu o gesto. Como resposta, o primo lhe deu um tapinha nas costas.

– Você sabe, Ramón. Estou aqui, para o que for preciso – disse, com os olhos marejados, e beijou-o na testa. – Eu sei que você gostava muito dela – murmurou, antes de se afastar, cambaleante.

Ramón tentou alcançá-lo, para esclarecer que Adela jamais tinha sido sua namorada e lhe era tão alheia quanto a todos os outros. Não conseguiu, por causa do tumulto. A consciência de que seu primo estava bêbado o consolou.

"Ele nem sabia o que estava dizendo", pensou.

Examinou a camisa de Pedro. Cheirava um pouco a suor e a cerveja, mas estava mais limpa do que a dele. Vestiu-a e a abotoou: a camisa era um número acima do seu.

Menos de uma hora depois da descoberta do homicídio, o rumor sobre a namorada morta de Ramón Castaños já se espalhara por todos os cantos de Loma Grande.

Enfileiradas ao redor da escola, as pessoas procuravam indagar sobre o namoro entre Ramón e a desconhecida. Algumas aproveitaram a oportunidade para se vangloriar: Juan Carrera afirmava ter sido amigo da morta, ao passo que, na realidade, só lhe havia dirigido, numa distante quinta-feira de junho, um "bom dia" a que Adela não se dignara de responder.

– Fui eu que apresentei a moça a Ramón – garantia. – Graças a mim, eles começaram a namorar.

3

A viúva Castaños estava raspando as escamas de umas tilápias[1] que havia ganho de Melquiades e Pedro Estrada, quando divisou ao longe o cortejo fúnebre. Não lhe prestou atenção: achou que se tratava de uma das muitas pajelanças religiosas organizadas pelos evangélicos nas manhãs de domingo. Voltou ao trabalho. Terminou de limpar os acarás e os enxaguou para remover os resíduos de tripas. Enquanto isso, chegaram María Gaya e Eduviges Lovera para informá-la do acontecido. Arrebatando a palavra uma à outra, as duas lhe expuseram os fatos. A viúva se declarou surpresa. Nunca soubera de alguma história do seu filho com aquela Adela, nem Ramón lhe havia confessado ter namorada. O rapaz tampouco havia adquirido os modos inquietos que delatam uma pessoa apaixonada e que teriam revelado uma paixão secreta. Não, não era verdade o tal romance. Ela não deixaria de perceber algo tão importante. Mas suas amigas insistiram: Ramón era namorado de Adela e Adela fora assassinada durante a madrugada. A viúva se recusou a acreditar nessa versão. Eduviges Lovera propôs que ela as acompanhasse à escola para verificar. Ela concordou. Guardou os peixes numa bacia, salpicou-os com sal, cobriu-os com um pedaço de papelão para protegê-los das moscas e saiu.

Ao chegar ao recinto e descobrir o filho num dos cantos da sala, a viúva dissipou qualquer suspeita sobre a veracidade da notícia que suas amigas lhe haviam transmitido. Ramón se mostrava triste e dolorido, com a dor e a tristeza só expressáveis pelos homens que acabam de perder a mulher mais amada de sua vida.

---

[1] Trata-se do acará-tilápia (*Tilapia rendalli*). Com freqüência, o autor alterna esses dois termos para se referir ao mesmo peixe. (N. da T.)

Durante alguns instantes a viúva Castaños se perguntou se devia ou não ir consolar seu filho caçula. Não se atreveu: o rosto de Ramón denotava um sofrimento que ela não se achou capaz de aliviar. Cheia de pena, saiu da sala de aula.

4

Continuava a chegar gente à capela fúnebre improvisada. Na sala não cabia mais ninguém: os de fora queriam entrar e os de dentro não queriam sair. Todos desejavam estar ali: murmurar sobre o namoro truncado, farejar o cadáver, bisbilhotar o sofrimento alheio.

Para ampliar o espaço disponível, os curiosos tiraram da sala os bancos, as cadeiras, a lousa e tudo o mais que estorvasse. Fizeram isso com tal descuido que várias carteiras se quebraram. Desesperada, a professora Margarita Palacios, a única em Loma Grande e arredores, tentou conter o redemoinho humano. Gesticulando, gritava:

– Tirem esta morta daqui, que os meus meninos vão se assustar e não vão mais querer vir à escola.

Protestava em vão: os adultos não a escutavam, mais atentos ao zunzum dos fatos do que à veemência de seus argumentos. Enquanto isso, as crianças, longe de se amedrontarem, pareciam contagiadas pelo furor dos mais velhos. Agrupadas junto às vidraças da sala, ansiavam por explorar, até onde pudessem, aquela situação inusitada.

Em meio a toda a confusão, Justino Téllez tomou ciência do inevitável: Adela era a namorada de Ramón Castaños. No início, não quis acreditar. Pensou que era um simples disse-me-disse. Mas a frase foi tão repetida, e por tantas bocas, que ele terminou por considerá-la verdadeira. Então pôde explicar a si mesmo a aflição de Ramón, o olhar vazio, as mandíbulas apertadas, mas não conseguiu entender por que Ramón não lhe confessara a verdade, nem quais eram os motivos que o levavam a ocultar sua relação com Adela.

Como era autoridade civil, e não policial, Justino Téllez não se preocupou em achar respostas para suas interrogações. Mesmo assim, soltou à queima-roupa:

– Manteve tudo bem escondidinho, hem?

De início Ramón não se deu conta de que a frase se dirigia a ele. Mas, ao ver que Justino o encarava com muita insistência, acabou por perceber:

– Escondidinho o quê? – perguntou, enfadado.

Justino sorriu e indicou com a cabeça o vulto que era o cadáver de Adela.

– Que ela era sua namorada.

A resposta estarreceu Ramón. Balbuciando, ele tentou desmentir Justino:

– Não, não... ela... eu...

Mas não teve tempo de continuar, porque nesse momento alguém gritou:

– A polícia está chegando!

CAPÍTULO III

Carmelo Lozano

1

Diante da escola, duas caminhonetes de cor azul-chumbo estacionaram violenta e ostensivamente, levantando uma nuvem de poeira e assustando as criancinhas. De uma desceu Carmelo Lozano, comandante da polícia rural sediada em Ciudad Mante. Carmelo não costumava fazer rondas aos domingos, mas nessa manhã acordara com a certeza de que algo sério acontecia ali pelas bandas de Loma Grande. "Estou sentindo umas vibrações", disse aos seus subalternos. Mandou que eles subissem às caminhonetes e, guiado pelo instinto, conduziu-os sem vacilar por quarenta quilômetros de estradinhas intrincadas, até chegar ao povoado.

– E então, pessoal, por que tanto alvoroço?

Os que se amontoavam diante da sala fugiram dele. Carmelo não era um homem mau, mas também não era santo: era policial, e isso bastava para evitá-lo. Através de uma das janelas, Lozano pôde vislumbrar o corpo estendido no chão. Alegrou-se por confirmar seu palpite: suas "vibrações" nunca lhe haviam falhado. Agarrou pelo ombro Guzmaro Collazos, um rapazinho que acabava de chegar e circulava atordoado por ali.

– Mataram quem, menino? – perguntou Carmelo.

Guzmaro não soube o que responder. Tentou se safar, mas a manzorra de Carmelo o impediu.

– O que aconteceu, rapaz? Desembuche.

Justino Téllez apareceu à porta e se intrometeu.

– Cumprimente primeiro, capitão... Ou será que você já esqueceu as boas maneiras?

Do alto de seus dois metros de estatura, Carmelo o encarou e sorriu. Ele e Justino se conheciam desde os tempos em que Loma Grande ainda não era povoado nem se chamava Loma Grande: não passava de um arruado de quatro casas. Carmelo soltou Guzmaro – que se apressou a correr do policial – e caminhou em direção a Justino. Os dois se falaram do jeito como se falavam desde meninos:

– Como vai, animal? – exclamou Lozano.

Justino respondeu imediatamente.

– Vamos indo, sua besta.

Carmelo alcançou Justino e fingiu lhe dar um soco no fígado. Justino fingiu se esquivar.

– Que bicho o mordeu, capitão, para você fazer essa viagem toda até aqui?

– Nenhum, compadre, é que eu amanheci com uma vontade danada de falar com você.

Justino lhe estendeu a mão e Carmelo apertou-a.

– Bom, agora que já falou, pode voltar – disse Justino.

Carmelo ergueu as sobrancelhas.

– Não seja imbecil, Justino.

Os dois homens se encararam por alguns segundos. Téllez começou a caminhar.

– Venha – disse ao policial –, me acompanhe. Aqui há ouvidos demais, escutando o que não devem.

Os curiosos que os rodeavam chegaram para o lado, fingindo que não era com eles. Com um aceno, Lozano ordenou aos seus oito homens que o esperassem.

Os dois se afastaram alguns passos até se abrigarem à sombra de uma esponjeira alta.

– Foi o seguinte, Carmelo – disse Téllez, vendo-se longe dos ouvidos indiscretos –, é que morreu uma mocinha daqui.

– Morreu ou mataram?

Justino cuspiu na terra solta. A cusparada se misturou com a poeira e desapareceu.

– Mataram... e como se mata um bicho: tacaram uma facada nas costas.

Sem se alterar, Carmelo cofiou o bigode e cortou um raminho da esponjeira para chupá-lo.

– E quem era ela?

Justino balançou a cabeça.

– Não sei. É o que eu estou averiguando.

Carmelo sacudiu o braço esquerdo para se livrar de um gafanhoto que se enganchara na pulseira do seu relógio. O gafanhoto saiu voando na direção das dezenas de intrometidos que os espiavam.

– E você sabe quem matou?

– Também não – respondeu Justino.

– A moça tinha quantos anos, mais ou menos? – inquiriu Lozano.

Justino refletiu por alguns segundos.

– Não sou muito bom de calcular idade, mas acho que uns quinze.

Carmelo umedeceu com saliva os lábios ressecados e, com a mão, limpou o suor que se acumulava em suas sobrancelhas.

– Brabo, este calor – disse, e ficou olhando as ondas ardentes que rastejavam pela rua. – O que você acha? – continuou. – Não lhe parece crime passional?

Téllez assentiu levemente.

– Raça de gente ruim, compadre – prosseguiu Lozano –, não se civiliza. Ainda mata por qualquer besteira.

Justino o encarou, incrédulo. Quando jovem, Lozano havia ferido uma mulher por ciúme. Ela sobreviveu aos dois tiros disparados pelo capitão. Ele, arrependido, pediu-a em casamento. A mulher aceitou, mas os dois não chegaram a se casar: ela morreu de coma alcoólico, poucos dias antes da cerimônia. Desde então, Lozano considerava qualquer rompante passional como um ato de barbárie.

– Não são besteiras – argumentou Justino, irônico –, o que acontece é que você já está velho e não entende dessas coisas.

– Velho é o seu rabo – replicou Carmelo. Ergueu a vista e olhou o sol, que parecia crepitar nas alturas. – Caralho – resmungou –, vim dar com os costados aqui a troco de nada.

Justino riu com malícia.

– Esperava o que, capitão? Um contrabando? Um aviãozinho de tóxicos?

– Alguma coisa que valesse a pena – respondeu Lozano –, e não uma morte inútil.

Justino sabia que, no fundo, o que incomodava Carmelo era a impossibilidade de extorquir alguém. Sem suspeitos ou culpados, era difícil tirar dinheiro daquele assunto. Para ele, o assassinato da moça não tinha importância.

De novo, Carmelo umedeceu os lábios ressequidos.

– Nem me convida para uma cerveja?

"Claro", ia respondendo Justino, quando se lembrou de que a única venda – das duas que havia no povoado – que abria aos domingos e tinha cerveja gelada era a de Ramón.

– Infelizmente, não vai dar.

– Ora, não me venha com essa – retrucou Carmelo.

– É que não temos onde – explicou Justino.

– Por quê? – perguntou Carmelo, esfregando o pescoço.

– Porque a moça que mataram era a namorada de Ramón Castaños, aquele da vendinha da esquina.

– Ramón, o filho de Francisca?

– Esse mesmo.

Carmelo estalou a língua.

– Porra, então você sabe quem foi que foi morta.

– Na verdade, não. Eu nunca tinha visto a moça, nem sabia quem era. O pouco que sei é o que acabo de lhe dizer, e só fiquei sabendo agora há pouco.

Lozano coçou a cabeça, intrigado.

– Cadê Ramón?

– Lá dentro, no velório – respondeu Justino.

Carmelo jogou no chão o talinho de esponjeira que estava chupando.

– Nem uma porcaria de uma cerveja eu posso tomar, puta merda – protestou.

De um dos bolsos da camisa, puxou uma esferográfica e um bloquinho de notas.

– O que você vai fazer? – perguntou Justino.

– Uma investigação.

Justino suspirou, aborrecido.

– Não encha o saco, Carmelo. Melhor deixar as coisas como estão. Eu resolvo tudo por aqui e aviso a você quando souber de alguma coisa.

Lozano esquadrinhou Justino e sacudiu lentamente a cabeça.

– Compadre, este assunto não lhe compete, porra.

– Não é bem assim, caralho – respondeu Justino, exaltado. – Da última vez em que você fez uma dessas suas investigações de merda, até a polícia judiciária veio se meter aqui no povoado, e só porque você achou que...

Carmelo o interrompeu de repente.

– Quem matou a moça foi Ramón, não foi?

Justino franziu o cenho, surpreso.

– Eu sabia – prosseguiu Lozano. – Ciúme é uma droga, compadre, não há quem consiga controlar.

Capítulo IV

Adela revive

1

Um grito agudo ecoou pelas quatro paredes da sala:

– Está viva! – urrou Prudencia Negrete, certa de ter visto o cadáver se retorcer embaixo da manta. Rosa León a secundou com um urro ainda mais ruidoso:

– Viva... e se mexendo!

Ramón voltou os olhos para a morta e sentiu uma gastura no estômago. Adela se movia: um dos seus flancos subia e descia lentamente.

– Meu Deus, perdoai-nos – gemeu de joelhos Gertrudis Sánchez, a única prostituta em Loma Grande e arredores.

Lucio Estrada conjurou a histeria coletiva. “Velhas palhaças”, cochichou ao ouvido de Ramón. Caminhou até o cadáver e o descobriu até os ombros. A expressão serena que Adela ainda trazia pela manhã já não existia: agora, seu rosto se mostrava endurecido, tenso, como que prestes a gritar.

– Que viva? – zombou Lucio. – Está se mexendo assim por causa dos gases.

Intrigada, Rosa León se aproximou para comprovar o que Lucio afirmava. Vendo-a chegar perto do corpo, Lucio cutucou-lhe as costas.

– Cuidado, que ela morde!

Rosa León deu um salto desengonçado para trás. Vários riram às gargalhadas. Ramón, não. A imagem de Adela muito mais morta do que antes o golpeou bem fundo. Em poucos segundos, Adela se transformara diante dos seus olhos. Já não era a mulher lânguida que ele carregara nos braços e que o deixara confuso. Agora, era um enorme pedaço de carne. E, ainda assim, Adela se grudava a ele, engolia-o, subjugava-o.

Lucio cobriu de novo o cadáver e ergueu os braços, satisfeito por sua demonstração e por ter ridicularizado aquelas escandalosas. Muito cheio de si, voltou a conversar com seus amigos, enquanto Rosa León saía soluçando da sala, em meio às risadas.

Os gritos de Prudencia e Rosa tinham chamado a atenção da platéia, fazendo-a esquecer que nove policiais rurais espreitavam lá fora. De repente, todos perceberam que Carmelo Lozano e seus homens se encarapitavam nas caminhonetes e que Justino os despachava com um aceno severo.

Os policiais partiram como haviam chegado: levantando uma nuvem de poeira e assustando as criancinhas.

Justino conseguira dissipar, uma a uma, as suspeitas que Carmelo Lozano levantava sobre Ramón. "Não, capitão" – dissera –, "o rapaz é incapaz de uma coisa dessas. Você e eu o conhecemos desde menino, como você pode achar que ele cometeria semelhante barbaridade"?

A defesa do vendeiro custou a Justino muita lábia e cem mil pesos. "Para a gasolina" – disse Carmelo – "e para eu tomar umas cervejas bem geladas em Mante, que aqui não me atenderam bem".

Antes de ir, Lozano prometeu retornar durante a semana "para checar esta pendência", e, como não era um homem mau, demonstrou sua boa-fé, redigindo assim seu informe:

Domingo, 8 de setembro de 1991.
Ronda efetuada. Não se detectou nenhum incidente grave, nem delito a investigar. A zona se encontra em completa ordem e tranqüilidade.

Justino retornou à sala de aula e se dirigiu a Ramón.

– Salvei você de ser preso – advertiu-o –, mas quero uma explicação para esse mistério todo.

2

Os raios do sol do meio-dia lambiam o povoado. Na sala, o ar ficou grudento, impregnado de humores e umidade de corpos. O odor concentrado de suor impediu que os presentes percebessem o aroma agridoce que revelava a rápida decomposição do cadáver. Ninguém se deu conta até que apareceram, rondando-o, vários moscões verdes que iam pousar sobre os grossos coágulos que haviam deslizado das margens da esteira.

– Já está dando mosca – advertiu Jacinto Cruz.

Justino Téllez se aproximou do magarefe.

– O que fazemos? – perguntou.

Jacinto Cruz franziu o nariz para aspirar melhor e determinar o grau de putrefação em que se achava o corpo.

– Precisamos prepará-la logo e botar num caixão – disse calmamente –, porque ela já está mais para lá do que para cá.

"Prepará-la", em Loma Grande, significava vestir, pentear, maquilar a falecida, acomodá-la num ataúde, dar-lhe um breve adeus, uma bênção, e já para a cova: no verão, os mortos cozinhavam depressa demais. Porém, não era possível proceder assim: Evelia ainda não tinha chegado com os pais de Adela. Era preciso aguardar e, enquanto isso, achar um jeito de proteger o cadáver de sua própria corrupção.

Depois de muito matutar sobre o problema, alguém mencionou a possibilidade de colocar o corpo em gelo. No povoado, somente duas pessoas o empregavam: Lucio Estrada, para conservar o pescado, e Ramón, para refrigerar Coca-Colas e cervejas. A sugestão não pareceu boa a Lucio: com o calor, o gelo derreteria rapidamente e, misturado com o sangue, provocaria, como único resultado, uma pestilência maior e uma abundância de moscas. Ramón também não gostou da idéia: sentiu vertigem só de imaginar Adela resfriada como garrafa de refrigerante.

Descartou-se o gelo. Tomás Lima, que em certa época havia trabalhado como empregado numa farmácia de Tampico, propôs injetar formol no corpo. "Com isso, ele agüenta", afirmou. Mas o único formol que se podia conseguir em Loma Grande era o que a professora Margarita Palacios utilizava para conservar, dentro de um vidro vazio de maionese, uns embriões de coelho.

Era pouco provável que a professora cedesse seu estoque. Além de se sentir ofendida pela confusão que se armara na escola, ela via nos fetos flutuantes sua ferramenta primordial para expor, na aula de ciências naturais, a teoria de Darwin sobre a evolução.

"Vejam, parecem peixes", dizia aos alunos, sacudindo o pote de vidro; em seguida, esticava as bochechas e exclamava: "Mas atenção, são coelhinhos", e sorria, satisfeita com o que ela pensava ser uma demonstração exata das teses do velho Charles.

Não, a mestra não doaria sua porção de formol à morta que estorvava sua sala de aula. E, mesmo que o fizesse, o volume seria pouco. Mal daria para quatro injeções, ao passo que seriam necessários mais de três litros para embalsamar o cadáver. Tomás Lima sugeriu então usar álcool a 96 graus.

– Quem tem álcool? – perguntou Justino Téllez, em voz alta.

Duas mulheres responderam "eu" e, pressurosas, foram buscá-lo em suas casas. Dali a pouco Martina Borja voltou com meio litro numa vasilha de plástico branco. Conradia Jiménez retornou com a dúvida de que o pouco que mantinha guardado tivesse sido consumido por seu marido, numa das explosivas bebedeiras dele.

Meio litro não dava. Justino Téllez insistiu:

– Mais alguém tem álcool?

Sotelo Villa se lembrou de que, entre seus trastes, havia visto uma garrafa, não de álcool, mas de água oxigenada.

– Serve? – perguntou.

Tomás Lima meditou um instante.

– Bom, é melhor do que nada – respondeu.

E assim foi que Sotelo Villa trouxe a garrafa de água oxigenada, Guzmaro Collazos um pouco de violeta de genciana e Prudencia Negrete um frasquinho de mertiolate.

Tomás Lima fez uma careta.

– O que foi? – interrogou Justino.

– Ainda falta, para completar o necessário – decretou Tomás.

Vários saíram, na esperança de encontrar em suas casas algum fármaco ou medicamento suscetível de ser injetado, mas retornaram de mãos abanando.

Torcuato Garduño, que havia passado a manhã inteira encostado num canto, sem falar, propôs:

– E se a gente usar uma caninha?

Justino o encarou com repulsa. Já ia recriminá-lo quando Tomás Lima declarou, pensativo:

– Pode ser que funcione, afinal, também é álcool.

– Vamos lá – disse Torcuato, sorridente. Puxou do bolso uma garrafinha e a passou para Tomás, que a pegou com cuidado, destampou-a, farejou-a e deu um longo trago.

– Caralho – disse, emocionado –, este rum é do bom! Um desperdício, mas acho que serve.

3

Misturaram numa caçarola de estanho o álcool a 96 graus, a água oxigenada, o rum de várias garrafinhas e o mertiolate. Preparada a fórmula embalsamadora, faltava resolver com qual apetrecho ela seria injetada no cadáver. Amador Cendejas trouxe uma seringa descartável, com a agulha oxidada, que ele achou semi-enterrada no curral de sua casa e com a qual, vários meses antes, tinha vacinado suas cabras. Ethiel Cervera emprestou um amarelento livro de biologia, com ilustrações anatômicas do corpo humano, para localizar veias e artérias mais facilmente. Faltava determinar quem daria as injeções.

– Não pode ser você? – perguntou Justino a Tomás, discretamente.

– Não, me dá nervoso... Ramón que a espete, afinal, eram namorados.

Bastou uma olhadela para Ramón e Justino soube que o rapaz não poderia nem mesmo segurar a seringa.

Justino sugeriu a vários outros a execução da tarefa, mas eles logo se esquivavam do compromisso: "não, não, meu pulso treme", "e se eu me espetar?", "não, Ramón pode se aborrecer". Sob a chuva de pretextos, a única saída era recorrer ao próprio Torcuato Garduño, que todos no povoado consideravam burro e desastrado.

Apesar de sua fama, Torcuato demonstrou uma perícia incomum no manejo de cadáveres. Através do tecido da manta, e sem expor um só centímetro de pele nua, cobriu o corpo de injeções, com grande tino e habilidade. Seguindo passo a passo as ilustrações do livro de biologia, introduziu a agulha calculadamente, localizando com precisão as vias mais propícias para infiltrar o composto embalsamador.

Demorou vários minutos, vigiado por dezenas de olhos atentos ao seu minucioso trabalho. Por fim, levantou-se, suarento, entregou a seringa a Tomás e esfregou as pálpebras.

– Fede para caralho – disse, com o rosto lívido e a língua seca.

Ficou no ar um doce aroma de álcool, rum, morte e suor.

Capítulo V

Os novos

1

Às quatro da tarde, finalmente, Evelía apareceu. Vinha pela rua empoeirada e ardente junto com os pais de Adela: uma mulher cinqüentona, de poucas carnes e rosto curtido pelo sol, e um homem velho, alto, calvo e de olhos claros.

Chegaram à escola e entraram na sala. A mulher se dirigiu com pressa até o cadáver, descobriu-o lentamente, com angústia, e ao reconhecer-lhe o rosto soltou um grito. Ao ver a reação de sua esposa, o velho se aproximou do corpo, fechou os olhos e começou a chorar baixinho.

No povoado, poucos conheciam os pais de Adela e a própria Adela. Eles faziam parte dos "novos", dos vinte ou trinta camponeses que de vez em quando chegavam a Loma Grande trazidos pelo governo, vindos de regiões distantes: Jalisco, Guanajuato, Michoacán, a fim de lavrar as terras expropriadas de narcotraficantes e decretadas comunais. Os antigos povoadores de Loma Grande não conviviam com os "novos", a quem consideravam intrusos, forasteiros oportunistas, usurpadores de lotes que bem podiam ser atribuídos a eles. Os recém-chegados – em sua maioria, de extração humilde e criados dentro de tradições conservadoras – desconfiavam dos lomagrandenses, cujos costumes lhes pareciam libertinos e estranhos. Assim, uns e outros levavam vidas à parte.

Novos ou não, os pais de Adela comoveram todo mundo. A mãe, caída no chão ao lado do cadáver da filha, soluçava com lamentos sufocados. O pai, abatido, encolhia-se de joelhos.

Sobre a sala pairou um misto de silêncio e calor, uma exalação muda, total. Não houve quem se olhasse de frente: só de esguelha.

Discretamente, Justino acenou a Evelia para que se aproximasse.

– Por que você demorou tanto? – reclamou, em voz baixa.

Evelía ofegou como se tivesse feito um grande esforço.

– Não estavam em casa – respondeu –, fui achá-los cortando figos-da-índia no Bernal.

O Bernal era o único morro da região e, para alcançá-lo partindo de Loma Grande, era necessário percorrer cinco quilômetros entre aceiros, barrancos e matagais.

– Eles não queriam acreditar – continuou Evelia –, foi difícil convencê-los a vir até aqui... garantiram que Adela estava em sua cama, quando saíram para o morro.

– Dormindo? – perguntou Justino, pensativo.

– Sim – confirmou Evelia.

– E a que horas eles saíram de casa?

– Disseram que um pouco antes de o dia clarear.

Ao redor de Evelia, as pessoas a escutavam atentamente. Sua reputação era a de uma mulher judiciosa, pouco chegada a mentiras. O que ela dizia era considerado crível e veraz. Evelia sabia disso. Por essa razão não desperdiçava suas palavras, e não as desperdiçou quando disse secamente:

– Mataram a única filha que lhes restava.

A frase deslizou num sussurro entre os presentes. Alguns – a minoria –, ao ouvirem essa informação, se envergonharam por bisbilhotar um drama alheio e abandonaram a sala. Outros, ao contrário, ficaram ainda mais interessados em testemunhá-lo até o fim.

2

Os pêsames repentinos, os olhares ambíguos, as tímidas condolências, as perguntas impertinentes criaram em Ramón uma certeza: o que se dizia de sua relação com Adela já não era uma brincadeira ou um boato, mas uma verdade nova e definitiva que crescia minuto a minuto e que lhe era cada vez mais difícil desmentir. Adela se transformava para ele numa armadilha e num mistério. A lembrança que ele tinha da moça se tornou confusa. Uma após a outra, as imagens se sucediam: Adela vestida com uma blusa branca e uma saia amarela comprando salsa na venda; Adela enveredando pelas ruas do povoado. Adela nua, estirada, silenciosa no silêncio de uma plantação de sorgo. Adela filha assassinada, Adela encharcada em sangue, Adela encharcando-o com seu sangue. Adela refletida no rosto do seu pai, na dor de sua mãe. Adela, Adela, Adela. Aquele aroma, aquele corpo que ele havia estreitado. Adela, o temor a Adela, o amor a Adela. Quem era Adela?

Absorto como estava, Ramón não notou que a mãe de Adela se levantara e se dirigia decidida para ele. Só a percebeu quando sentiu bem próxima sua respiração. Então olhou o rosto umedecido e enrugado que o perscrutava, penetrante, e teve medo, e ela pareceu adivinhar esse sentimento, porque suavizou o olhar e lhe disse com doçura:

– Adela gostava muito de você...

A frase atingiu Ramón como um golpe surdo. Ele desejou fugir dali, deixar Adela com seu fedor de morta e a mentira daquele namoro entre os dois, mandar a mãe de Adela aos diabos, empurrá-la e gritar-lhe que o deixasse em paz, fugir do redemoinho de murmúrios que o engolia, acabar com a farsa, berrar que não era verdade nada daquilo que se dizia sobre ele e Adela. No entanto, com uma voz adormecida, que ele não sentiu como sua, Ramón disse:

– Eu também, dona, eu também gostava muito dela.

3

Natalio Figueroa e sua mulher, Clotilde Aranda, tinham chegado a Loma Grande seis meses antes. Vinham de um povoado chamado San Jerónimo, próximo da cidade de León, no estado de Guanajuato. Adela era a caçula dos cinco filhos do casal, todos falecidos. O mais velho morrera nos braços dos pais, aos quatro anos de idade, em conseqüência de uma disenteria. O segundo quebrara o pescoço aos onze, ao cair de um cavalo que galopava desenfreado. A terceira se afogara aos catorze ao tentar atravessar o Río Bravo junto com o rapaz com quem tinha fugido alguns dias antes. O quarto tivera a cabeça arrebentada por uma bala perdida, quando passava perto de um botequim, onde havia estourado uma briga entre bêbados: ia completar nove anos. "E Adela, não sabemos quem a esfaqueou" – expôs Justino –, "mas logo vamos descobrir". Natalio o escutou sem olhar para ele. Respirava com dificuldade, ainda sem conseguir acreditar no acontecido.

Natalio concluiu que, mais cedo ou mais tarde, o nome do assassino circularia pelo povoado. Por enquanto, havia providências que o preocupavam mais do que a investigação sobre as circunstâncias do crime.

– Não se poderia chamar um sacerdote? – perguntou timidamente. – Quero que ele encomende minha Adela.

Justino o contemplou com certa pena: não, não era possível. O sacerdote mais próximo residia em Ciudad Mante, e não havia como viajar até lá: as duas únicas caminhonetes existentes em Loma Grande estavam quebradas, e o ônibus parador só passava pelo povoado nas tardes de terça e quinta-feira. A cavalo, o trajeto era demasiado longo e cansativo, não menos de dez horas só para a ida. Impossível trazer o sacerdote. Justino não mencionou nada disso a Natalio. Limitou-se a dizer: "estão indo buscar um agora mesmo" e mandou chamar, em compensação, os dois evangélicos que residiam no Assentamento Pastores.

Afinal, pensou Justino, é como se eles fossem padres: também rezam e abençoam.

Os evangélicos se chamavam Rodolfo Horner e Luis Fernando Brehm. Ambos descendiam de comerciantes alemães chegados ao país no início do século. Pareciam pai e filho, mas não o eram. Todos os domingos, iam pregar em Loma Grande. Apresentavam-se muito cedo, batendo uns tambores de campanha e uns pandeirinhos de estudantina. Entre um rufar e outro, proferiam sentenças religiosas com as quais convidavam os pecadores a se arrependerem de suas más ações. Na primeira ocasião em que eles apareceram no povoado – onde muito poucos haviam assistido a mais de uma missa na vida ou conheciam outra oração além do Pai-Nosso –, todos os escutaram com respeito e deferência. Vários os presentearam, comovidos, com porcos, galinhas e perus. Outros, na esperança de obter perdão eterno e evitar a passagem pelo purgatório, confessaram-lhes seus pecados. Os evangélicos os escutavam com prudência, esclarecendo que eles não confessavam e que, se admitiam fazê-lo, era exclusivamente para alívio dos fiéis, e não porque considerassem aquilo necessário.

Com o tempo, os evangélicos passaram a repreender os pecadores, ameaçando-os com o implacável castigo da mão divina. As pessoas se aborreceram e resolveram caçoar deles: Tomás Lima confidenciou-lhes haver assassinado oito homens por puro gosto; Torcuato Garduño lhes falou dos variados sabores da carne humana; e Gertrudis Sánchez os excitou com a pormenorizada narração do triângulo amoroso que mantinha com seu irmão e seu pai.

Eles demoraram a descobrir a confabulação e, quando isso aconteceu, ficaram furiosos. Redobraram as ameaças e o povoado caçoou deles ainda mais. Isso não os impediu de continuar pregando em Loma Grande todos os domingos. E, se não tinham aparecido por lá no domingo em que Adela fora esfaqueada, era porque Rodolfo Horner, o mais novo dos dois, tinha sido picado por um escorpião.

Quando Pascual Ortega se apresentou para levá-los ao velório, sentiram-se felizes. Era a primeira vez em que se viam solicitados a participar de uma cerimônia religiosa. Finalmente, dava frutos a dura tarefa de quebrar pedras dia após dia, de agüentar rejeições, trotes, caminhadas em pleno sol. Contudo, quando souberam que iam oficiar pela alma de uma mulher assassinada em circunstâncias obscuras, os dois se retraíram: não queriam se imiscuir em enredos alheios. Tentaram sair pela tangente, argumentando que Rodolfo ainda se sentia adoentado por causa da picada e que seu estado podia se agravar se ele andasse a cavalo.

– O veneno pode subir para a cabeça – explicou Luis Fernando.

Pascual sorriu, irônico: mentira pura. Ele mesmo fora picado por mais de dez escorpiões e sabia que, além de uma asfixiante sensação de engolir pêlos que durava algumas horas e de uma inflamação no lugar da picada que desaparecia em uma semana, nada de grave acontecia.

A atitude zombeteira e desafiadora de Pascual sugeriu aos evangélicos que seu álibi não era totalmente convincente. Então, entre passar a noite inventando pretextos absurdos ou ir a Loma Grande e cumprir seu ofício do modo mais discreto possível, para não se envolverem na trama do crime, escolheram a segunda alternativa.

Saíram do Assentamento Pastores à tardinha. Pascual Ortega os conduziu a Loma Grande pelo caminho mais curto: o que cruzava a plantação de sorgo, onde Adela havia sido assassinada. Ao passar pelo local, Pascual lhes indicou com o queixo uma mancha escura, indefinível àquela hora do ocaso: "Foi ali que a mataram", sentenciou. Os evangélicos se encolheram sobre suas montarias e murmuraram umas preces pela salvação da alma da jovem.

Chegaram ao povoado ao anoitecer. Não encontraram ninguém nas ruas nem na escola: o cadáver de Adela tinha sido levado para a casa dos pais.

CAPÍTULO VI

Uma saia preta e uma blusa azul

1

Ramón entrou na casa de Natalio Figueroa e Clotilde Aranda e relanceou o olhar ao redor: era uma casa pobre, quatro paredes de taipa. Teto de folha de palmeira. Um aposento só, sem divisões. No meio, um fogão. Dos lados, um catre e uma cama. Uma mesa e três cadeiras. Pratos de estanho azulado. Xícaras de plástico vermelho. Panelas imundas. Cheiro de queimado. Um armário grande e sem pintura. Estampas da Virgem de Guadalupe e do Menino Jesus. Candeeiros de querosene improvisados em frascos de Nescafé. Duas janelas: uma com vista para o norte, outra para o sul. Dois trapos encardidos à guisa de cortinas. Um lençol puído servindo de mortalha e Adela estendida no catre no qual havia despertado pela última vez.

Natalio puxou uma cadeira e a ofereceu a Ramón. Este agradeceu o gesto, fez menção de se sentar, mas preferiu continuar de pé. Nas outras duas cadeiras se acomodaram Justino e Evelia, enquanto Clotilde Aranda se ajeitava entre as cobertas da cama. Somente eles cinco permaneceram ali dentro. Os outros ficaram lá fora, apinhados no terreiro que circundava a casa.

– Um café? – perguntou Natalio, sem se dirigir a ninguém em particular. Justino e Ramón recusaram o oferecimento. Evelia, cansada de tanta correria e sem ter comido nada desde a manhã, aceitou.

Clotilde Aranda se levantou para fazer o café. Enxugou as lágrimas e se arrastou até o fogão. Acomodou uma caçarola de barro entre as brasas ainda acesas e soprou para avivá-las. Esperou com os olhos cravados na água que se aquecia lentamente, enquanto os demais a observavam silenciosos.

O café começou a fumegar, mas Clotilde continuou na mesma posição. Natalio a sacudiu levemente para resgatá-la de seu alheamento. Ela se sobressaltou.

– O que foi?

Natalio estendeu uma de suas mãos ossudas e apontou o fogão.

– O café... já está pronto.

Clotilde contemplou a caçarola, inclinou a cabeça e começou a gemer:

– Adela... minha Adela...

Natalio abraçou-a, levou-a para a cama e a ajudou a se recostar.

Ramón se sentiu asfixiado. Com sua respiração de morta, Adela roubava o ar daquele aposento apertado, rarefazendo-o.

– Não quer café?

Ramón ergueu os olhos para a voz e fitou a xícara que Natalio balançava diante dele. Não, não queria café. O que ele desejava era fugir, correr para longe, até explodir. Distanciar-se com urgência do enorme cadáver que era Adela.

– Obrigado – disse, e segurou a xícara fervente em suas mãos. Bebeu um gole e sentou-se na cadeira que Natalio lhe oferecera antes.

2

Depois de soluçar por muito tempo, Clotilde se refez e se entregou à tarefa de procurar a roupa com a qual vestiria Adela para sepultá-la. Abriu o armário e o revistou cuidadosamente. Pegou duas blusas e conferiu de novo, como se buscasse algo perdido. Desesperada, esvaziou o guarda-roupa e examinou objeto por objeto. Por fim, mordeu os lábios e virou o rosto para o marido.

– Estão faltando a saia preta e a blusa azul – disse, abatida.

Ambas eram as peças mais finas com que Adela contava: seu traje favorito. Ela só as usara em duas ocasiões, que considerou muito especiais: a primeira, quando completou quinze anos e em San Jerónimo celebraram o baile de apresentação das debutantes; a segunda, no dia em que lhe entregaram, na escola de seu povoado, o certificado de conclusão do curso médio. Não voltara a vesti-las até aquele domingo.

Clotilde ficou ainda mais pesarosa por não achar a saia preta e a blusa azul. Havia pensado em vestir sua filha com elas para o enterro. Desconsolada, apoiou-se no armário vazio, movendo a cabeça de um lado para outro.

Natalio se adiantou até sua mulher. Recolheu as poucas roupas jogadas no chão e separou uma blusa branca e uma saia amarela.

– Ponha isto – disse, entregando-as a ela.

Clotilde recebeu as peças como quem recebe algo muito valioso, levou-as ao peito e acariciou-as demoradamente.

Na semipenumbra, Ramón conseguiu distinguir o que a mulher segurava e um estremecimento glacial o sacudiu até o âmago: era a mesma roupa que Adela vestia na tarde em que ele a conhecera. E de novo lhe surgiu Adela, a outra Adela, a de olhos claros, rosto sereno, colo delicado, voz um pouco rouca e riso quase imperceptível. De novo Adela, frágil, nua, silenciosa, e ele abraçando-a e ela abrasando-o. E Adela e o enorme cadáver que era Adela. E Ramón e as duas Adelas e Adela morta, demasiado morta.

3

Clotilde Aranda não agüentou. Não conseguiu enfrentar a intumescência de carne e ossos a que um dia chamara filha. Não se atreveu a olhá-la e muito menos a tocá-la. Era-lhe impossível vesti-la. Impossível pentear seus cabelos revoltos. Impossível esconder com maquilagem o sorriso da morte sobre seu rosto. Natalio contemplou sua mulher, derrotada. Ela havia cumprido cabalmente a dura tarefa de preparar e amortalhar os outros filhos falecidos. Mas amortalhar Adela era como amortalhar um pedaço de si mesma: o último que lhe restava de esperança.

Silenciosamente, Natalio tirou das mãos de sua mulher a blusa branca e a saia amarela e passou-as a Evelia. Evelia compreendeu de imediato o que o homem lhe pedia com aquele gesto; e, embora estivesse muito cansada para enfrentar o encargo, não teve ânimo para se recusar a realizá-lo. Pegou a roupa, semicerrou os olhos e perguntou:

– Que sapatos eu ponho nela?

Natalio virou-se para a esposa, em busca de uma resposta. Clotilde meneou a cabeça: Adela só possuía um par e seguramente o calçara naquela madrugada.

– Ela não tem – respondeu a mãe, envergonhada.

Evelia ficou sozinha com o cadáver. Sentou-se na beira do catre, tomou um último gole do seu café, passou a mão pelos cabelos e suspirou. Segurou por uma ponta o lençol que cobria Adela e puxou-o lentamente. Livre de seu invólucro mortuário, o corpo nu exalou um bafo nauseabundo e penetrante. Evelia sentiu uma ardência no nariz e tapou-o com a mão para evitá-la. A lufada pestilenta logo se diluiu no escuro, deixando no aposento um leve aroma de vinagre. Ressecada pela gororoba que lhe haviam injetado, a pele da morta parecia papelão. Estrias violáceas riscavam braços e pernas. O rosto, porém, adquirira uma expressão serena, como se Adela finalmente descansasse da agitação que ela mesma havia suscitado.

Evelia levantou a vista para não se deixar desarmar pelo cadáver. Procurou pensar em algo completamente diferente, mas não conseguiu: havia morte demais no aposento. Reconheceu que, sozinha, não poderia preparar Adela. Apoiou-se nos braços para se levantar. Ficou de pé, moveu os ombros e dirigiu-se para a porta.

Natalio aproximou-se dela rapidamente.

– Terminou? – perguntou, nervoso.

– Não, ainda não... preciso de alguém que me ajude.

Evelia deu um passo à frente e esquadrinhou as dezenas de sombras que a rodeavam. Relanceou pausadamente o olhar. Junto ao alambrado que cercava o terreiro, descobriu as silhuetas de Astrid Monge e Anita Novoa, duas moças que moravam por ali e a quem ela conhecia desde meninas. Numa ou noutra ocasião, tinha visto ambas em companhia de Adela.

Evelia chamou-as e elas se aproximaram espicaçadas pela curiosidade.

– Podem me ajudar a vestir a defunta? – perguntou ao par de rostos desfocados pela noite.

Durante alguns segundos, só se escutou a respiração compassada das moças, que refletiam sobre a resposta.

– Eu, não – respondeu Anita secamente.

Evelia olhou para Astrid e, na escuridão, pôde decifrar nela um leve assentimento de cabeça.

4

Entraram silenciosamente na casa. Sob a luz turva dos candeeiros, Astrid contemplou o cadáver estendido no catre. Incontáveis moscas se acumulavam sobre os olhos semifechados de Adela, tentando beber suas últimas lágrimas. Astrid sentiu refluir uma náusea pastosa que lhe queimou o céu da boca. Quis cuspir, não só seu asco, mas também sua raiva: raiva pelas moscas, por tanto silêncio, pela obstinada quietude de Adela.

Evelia sacudiu um pano para espantar as moscas, mas estas voejaram brevemente e voltaram a pousar sobre os olhos da morta.

– Me ajude a levantá-la – pediu a Astrid.

Astrid apertou os dentes e cerrou os punhos para se decidir. Criou ânimo e, com extremo cuidado, meteu as mãos por baixo das costas de Adela. Mal roçou a pele rugosa e soube que tocar a morte é bem pior do que simplesmente olhá-la. O que ali estava, descobriu, não era Adela, pelo menos não a Adela que ela havia conhecido poucos meses antes e da qual tinha ficado muito amiga. Não a Adela com quem havia conversado, com quem havia rido e trocado segredos. Não a Adela de olhar transparente. Não, aquela grudenta maçaroca de papelão não era Adela.

– Não vomite – pediu ardorosamente Evelia, ao vê-la perturbada –, senão eu também vou vomitar e aí não haverá quem a prepare.

– Estou bem – respondeu Astrid com tristeza –, só que não me conformo de vê-la assim.

Evelia lhe mostrou a blusa.

– Precisamos nos apressar.

Astrid acariciou os cabelos de Adela.

– Há poucos dias, ela me pediu que lhe fizesse uma trança – disse, melancólica.

Ao longe, soaram umas batidas de martelo.

– Estava apaixonada – prosseguiu Astrid, sem deixar de acariciar a cabeça da amiga.

– Apaixonada por quem? – inquiriu Evelia.

– Não sei.

– Por Ramón?

– Talvez... não sei...

Astrid não continuou. Reteve o pranto apertando os lábios e, resoluta, levantou o corpo de papelão para começar a vesti-lo.

Jacinto Cruz terminou de martelar e, com uma lixa, alisou a madeira da parte interna do caixão. Havia construído o ataúde com restos de tábuas pertencentes à casa abandonada, onde Jeremías Martínez passara os últimos anos de sua vida. Dessa casa saía a maior parte dos féretros de Loma Grande.

Pascual chegou com a carroça, pronto para transportar o ataúde. Saltou da boléia e se dirigiu a Jacinto.

– Eu já trouxe os padres – disse, referindo-se aos evangélicos – e a morta já está vestida e preparada. Só falta o caixão.

– E cavar a sepultura – acrescentou Jacinto.

Pascual sorriu sem querer sorrir de fato. Caminhou ao redor do féretro, inspecionando-o minuciosamente.

– Será que não ficou meio grande?

Jacinto observou seu trabalho e negou com a cabeça.

– Não, o tamanho está bom.

Pascual deu dois passos.

– Mede duas passadas – disse –, e a moça não era assim tão alta.

Jacinto fitou o céu sem lua e virou lentamente o rosto para o de Pascual.

– Dizem que quanto mais os mortos morrem, maiores e mais gordos ficam.

– Sim, é o que dizem – murmurou Pascual. Segurou o ataúde por uma das extremidades e, com um aceno, pediu a Jacinto que o ajudasse a levantá-lo.

Capítulo VII

O assassino

1

Sepultaram Adela no antigo cemitério, à beira do rio Guayalejo e perto do lugar onde ela fora assassinada. Abriram uma cova bem funda, para evitar que, na época das chuvas, as enchentes arrastassem os despojos. Para muitos, foi o enterro mais triste que eles tinham presenciado, mais até do que o de *doña* Paulita Estrada ou o de *don* Refugio López, fundadores do povoado. Não houve gritos nem lamentos. Puro silêncio e uma noite sem lua.

Contagiados pelo estupor reinante, os evangélicos se limitaram a pronunciar um adeus conciso e uma curta bênção. Terminada a cerimônia fúnebre, as pessoas se dispersaram em grupos compactos que se dirigiram a Loma Grande, em meio à escuridão dos caminhos invadidos pelo mato.

A maioria dos homens seguiu Ramón até a venda. Ainda faltava esclarecer muita coisa, e nada melhor do que fazê-lo tendo nas mãos uma cerveja gelada.

Bem sabia Ramón que, para ele, a noite mal estava começando. Apanhado como estava na armadilha de um namoro invisível, não tinha como recuar e negar seu romance, sem passar por covarde ou pouco macho. Dali por diante, teria de viver como real aquele passado imaginário.

2

Nenhum assunto se resolvia em Loma Grande de maneira direta ou taxativa, nem sequer um crime. Tudo devia passar primeiro por uma trama de conversas insossas que, pouco a pouco, se encadeavam ao miolo do assunto. Por essa razão, Justino Téllez, depois de fazer um bochecho com cerveja para refrescar a garganta, perguntou a Lucio Estrada qual era o preço que a Conasupo estava pagando pela tonelada de sorgo.

– Trezentos e cinqüenta mil pesos – respondeu Lucio, um tanto aborrecido.

– É foda! – exclamou Macedonio Macedo. – Com esses preços, nem vale a pena colher.

– Isso não paga nem as sementes – interveio Torcuato Garduño.

– Muito menos o aluguel das colheitadeiras – acrescentou Amador Cendejas.

– Por isso é que eu não planto mais – disse Ranulfo Quirarte, apelidado “o Amizade” por causa de seu gosto de entabular conversa, e que se dedicava a vender a carne dos veados que matava à noite, ofuscando-os com o farol de sua bicicleta e acertando-os tranqüilamente com uma velha escopeta calibre 16.

– Nós também não vamos plantar – assegurou Melquiades, o irmão caçula de Lucio e Pedro Estrada. – Agora, vamos nos dedicar ao *bizness* do peixe.

– Já compramos quatro redes para arrastar no açude – acrescentou Lucio.

– Tem muito acará por lá, não é? – inquiriu Justino Téllez.

– Bastante – confirmou Melquiades –, na semana passada tiramos duzentos quilos.

– E continuam limpando e cortando o peixe? – perguntou Justino.

– Não mais – respondeu Lucio –, porque roubaram minha faca especial.

– Que faca?

– A que eu ganhei do senhor Larre, uma bem amolada, de lâmina estreita.

– O senhor Larre?

– Sim, o caçador que vem da Cidade do México para matar gansos. Aquele alto, grandão.

– Ah, sei.

Justino sorveu mais um pouco de cerveja, bochechou várias vezes e cuspiu o líquido.

– E quem você acha que lhe roubou a faca?

Lucio sorriu ante a pergunta.

– Não sei, ora. Se soubesse, já teria tomado de volta.

– Pois seria ótimo que você soubesse – continuou Justino Téllez –, porque me parece que mataram a moça justamente com essa faca.

Lucio e os outros emudeceram. Ramón se lembrou de tê-la visto. Justino estava certo: só uma faca daquele tamanho e com aquele fio poderia ter traspassado Adela com tanta precisão.

Torcuato Garduño mudou o tema da conversa.

– Estou achando que vai chover esta semana – disse, olhando na direção do sul.

– É mesmo – concordou Macedonio –, faz três dias que está querendo soprar um ventinho estranho.

– Um pouco de água não cairia mal – comentou Amador Cendejas –, faria o sorgo crescer.

– Droga de sorgo – interveio Torcuato. – Se eu soubesse que estavam pagando só trezentos e cinqüenta, não plantaria essa merda.

– Devíamos ter plantado cártamo, como fez Ethiel – disse Pedro Salgado.

– É verdade – sentenciou Justino –, a tonelada está valendo o dobro. Mas agora já semeamos sorgo, que jeito?

A conversa parou alguns segundos, durante os quais ninguém disse nada. Inesperadamente, Torcuato rompeu o silêncio.

– Aposto que são dez e vinte.

Todos se viraram para olhá-lo, com estranheza.

– Aposto – insistiu Torcuato.

– Por quê? – perguntou Pedro Salgado.

– Porque dizem que a cada vinte minutos passa um anjo, e por isso as pessoas se calam.

– Isto mesmo, são dez e vinte.

Torcuato sorriu, triunfante.

– Eu não disse?

Outro anjo voltou a transitar acima deles, porque de novo se calaram. Ranulfo Quirarte, o Amizade, seguiu a trajetória do anjo até que este desapareceu, e então afirmou sem preâmbulos:

– Eu sei quem matou a moça.

– Como é que você sabe? – perguntou Marcelino Huitrón.

O Amizade ruminou sua resposta entre dois goles de cerveja.

– Porque agora há pouco, quando estávamos falando do cártamo, eu me lembrei de que ontem à noite fui procurar veados nos terrenos de Ethiel e, como não vi nenhum, segui até os pastos que ficam junto do rio...

O Amizade interrompeu a frase no meio para tomar outro gole de cerveja. Com as costas da mão, limpou a espuma grudada em seu bigode e continuou:

– ... ia na minha bicicleta, com a luz apagada, quando ouvi alguém andando pela trilha. Liguei o farol e avistei, a uns cinqüenta metros, um sujeito dando uns safanões numa mulher de blusa rasgada...

De novo, o Amizade suspendeu seu relato. Poucas vezes dispunha de uma audiência tão cativa, e não ia desperdiçá-la.

– Minha cerveja acabou – disse a Ramón –, você me passa outra?

Ramón entrou na venda e tirou uma da geladeira. Limpou-a com um pano, destampou-a e a entregou a Ranulfo. Este retomou sua história:

– ... acho que eles me viram e se assustaram, porque saíram correndo. Quando vi que entraram pelo mato, apaguei a luz, pensando, porra, por que me meter no que não é da minha conta? Vocês não acham que é muito feio, isso de ficar fuxicando a vida alheia?

Justino – a quem o Amizade se dirigira durante a conversa – assentiu, e os outros também. Ranulfo continuou:

– Só que, mesmo não querendo me intrometer, eu vi muito bem quem era: nada mais, nada menos que o Cigano.

Outra vez o Amizade retardou sua narrativa, sabendo que ninguém o interromperia nem mudaria de assunto, como costumava acontecer. Bebeu um pouco de cerveja, saboreou-a e prosseguiu:

– À noite eu não vi quem era a mulher que estava com ele, mas agora concluo que era justamente a morta.

Justino o encarou inquisitivamente.

– Você não estaria inventando coisa?

Ranulfo beijou os dedos em cruz.

– Não, juro por Deus.

– E a que horas foi isso, mais ou menos? – perguntou Marcelino.

– Ali pelas quatro ou cinco da manhã – respondeu de imediato o Amizade.

De repente Lucio Estrada deu um tapa na testa.

– Agora me lembro – disse –, aquele safado do Cigano ficava de olho comprido para a minha faca... Tenho certeza de que foi ele quem roubou.

Torcuato interveio, exaltado.

– Foi esse filho da puta que matou a moça. Senão, estaria aqui sossegado, jogando conversa fora com a gente, e eu não o vejo desde ontem.

No resto da noite, as cervejas geladas esquentaram as cabeças daqueles homens.

Capítulo VIII

Gabriela Bautista

1

Noite. O calor parece não dar trégua nenhuma. Tampouco a poeira. Calor e poeira se grudam nos corpos. As peles transpiram terra. Remoinhos de borrachudos e mosquitos flutuam no ar imóvel e fervente. Zumbem junto aos ouvidos e picam, implacáveis. Um trio de coiotes uiva no morro. As cascavéis se retorcem no cascalho ardente dos caminhos. Os bichos se abrigam embaixo das algarobeiras, fugindo de um sol que ainda perdura no escuro. Ao longe, o rio e seu murmúrio sossegado. E o calor, o maldito calor, avassalando tudo.

Gabriela Bautista não dorme, a angústia não deixa. Nem o medo. Inquieta, aguarda o regresso do marido a qualquer momento para cobri-la de pancadas e, muito provavelmente, matá-la. Não tem para onde fugir nem onde se esconder. Mantém a leve esperança de que ele não saiba de nada, mas não, a esta hora já deve ter sido informado de sua infidelidade. Se está demorando a chegar, é porque foi cobrar do Cigano a afronta.

A porta range. Gabriela Bautista se encolhe atrás da cama. É ele, e vai matá-la. Um minuto se escoa lentamente, depois mais um. O rangido não se repete. Gabriela Bautista apóia a cabeça sobre a cama e fecha os olhos. Transpira um suor que vem do âmago. O mesmo suor que a percorrera na noite anterior, quando uma luz brutal a descobrira esfregando sua carne à carne do Cigano. Uma luz sem nome, insistente, calada, que os cegou no meio da noite e esquadrinhou sua nudez.

– Boa-noite – gritou o Cigano à luz muda.

Não houve resposta, só o silêncio e a luz. Gabriela Bautista se escondeu atrás do Cigano e transpirou, transpirou medo.

– Boa-noite – repetiu o Cigano.

Nada, luz e silêncio, e a fria sensação de estarem sendo tocaiados pelo silêncio.

O Cigano adivinhou na escuridão o reflexo do cano de uma arma. Empurrou Gabriela em direção ao morro e ambos começaram a correr, e a luz atrás deles, e sabe Deus quem atrás da luz. Correram tanto quanto puderam, tropeçando, ferindo os pés nos espinhos, rasgando braços e pernas, até que a luz deixou de penetrar a espessa ramagem do matagal. Encolheram-se numa vala, embaixo de uns arbustos, respirando agitados, inundados pelo ar quente da noite. Não falaram uma só palavra. Ela se agarrou a ele e ele a beijou e acariciou e Gabriela Bautista se deixou beijar e acariciar e beijou e acariciou, cada vez mais temerosa de si mesma.

Fizeram amor. Ao terminarem, o Cigano se levantou, fechou a calça e partiu por entre o matagal. Ela ficou quieta, impregnada de sexo e medo. Ouviu a distância o ronronar da caminhonete do Cigano, que se afastava pela trilha. Ficou escutando até que ele se perdesse na madrugada. Então se ergueu, sacudiu o vestido e ajeitou a roupa. Começou a andar, com passo pesado. Tinha sido descoberta e não sabia para onde fugir. Chegou à sua casa e se escondeu no único lugar no qual achou que poderia se esconder: atrás da cama, onde passou todo este domingo e de onde escuta agora a porta ranger. Percebe quando ela se abre e vê entrar Pedro Salgado, seu marido.

2

Dirigiu até chegar ao açude. Parou a caminhonete à margem do caminho. Desligou o motor e se reclinou no assento. Saboreou de novo, um a um, os beijos de Gabriela Bautista. Aquela mulher o enlouquecia e ele a ela, mas sabia que não podia voltar a Loma Grande por um bom tempo. Devia esperar notícias e não retornar até ter certeza de que não haveria confusão no povoado.

Desceu do veículo e caminhou até a beira do açude. Tinha arranhões nos tornozelos, na testa, nos antebraços e nas mãos. Tirou a roupa, fez uma trouxa e escondeu-a embaixo de umas moitas de cascaveleira. Meteu-se pela água tépida e se esfregou com lama para desinfetar os arranhões e suprimir a coceira. Um bando de patos-rangedeiros passou voando baixo. Assustado pelo esvoaçar das aves, ele deu um salto para trás. "Porra", pensou, "ainda não me refiz da correria desta noite".

Enxaguou a crosta de lama com que havia untado o corpo. Chapinhou um pouco e se divertiu tentando pescar umas piabinhas com as mãos. Saiu da água, secou-se com a camisa e vestiu a calça. Não quis ficar nu: era domingo cedo e de vez em quando umas famílias passavam de carro por ali. Recostou-se numa das rochas que escoravam o muro do açude e adormeceu.

Quase ninguém sabia seu nome: José Echeverri-Berriozabal. A maioria o chamava simplesmente de Cigano. Nascera em Tampico, filho natural de um marinheiro basco e de uma garçonete da sorveteria Elite. Do pai herdara a altura e os olhos verdes. Da mãe a ossatura sólida, a esbeltez, os movimentos desenvoltos e um exato domínio da adversidade.

Desde adolescente, gostava de se meter com mulheres casadas. Nunca expôs as razões dessa preferência, mas seus amigos a explicavam pelo fato de que sua mãe era solteira. Aos 15 anos, foi atacado a golpes de facão por um marido colérico. A duras penas, sobreviveu aos cinco talhos que lhe dilaceraram as costas. Sarou dos ferimentos e carregou para sempre o orgulho de suas cicatrizes.

Três anos depois, envolveu-se com a mulher de um aduaneiro. O homem os surpreendeu na cama, puxou uma pistola *Browning* calibre 32 e com três disparos encheu de chumbo o peito do Cigano.

Ao ficar bom, ele jurou se vingar. Soube que o homem que o acertara se refugiava em Tempoal. Foi até lá para procurá-lo, mas não o encontrou. Em compensação, conheceu um administrador que o introduziu ao comércio ambulante de artigos para o lar. Desde então, circulou de um povoado a outro sob o apelido de Cigano.

Tempos depois, descobriu as vantagens de combinar seu negócio com o contrabando de quinquilharias fabricadas em Taiwan. Sua lábia, que já duplicava a utilidade e, portanto, o preço de uma panela, multiplicava-os por seis no caso de um relógio de quartzo. Assim, mesmo tendo de repartir a grana entre policiais rurais, judiciários, estaduais e federais, além de prefeitos e administradores comunais, ele invariavelmente obtinha bons lucros.

Com suas economias, conseguiu comprar uma caminhonete Dodge com carroceria fechada, em alumínio, e construir uma casinha em Tampico. No entanto, não mantinha residência fixa. Pernoitava em seu veículo, à beira dos caminhos, ou trocava mercadorias por casa e comida. Ia regularmente a Loma Grande duas vezes por ano, até que, numa tarde de janeiro, iniciou seu caso com Gabriela Bautista. A partir desse momento, intensificou a freqüência de suas visitas para uma vez por mês.

Em Loma Grande, hospedava-se na casa de Rutilio Buenaventura, um camponês ancião e cego que descobriu um novo modo de aliviar suas trevas graças ao *walkman* com que o Cigano o presenteara. Em agradecimento, Rutilio lhe ofereceu teto – comida, não, porque ele mal sobrevivia com o que obtinha de uma dúzia de galinhas – e amizade. Ficaram tão íntimos que somente o velho conhecia os motivos pelos quais o Cigano gostava tanto de regressar a Loma Grande.

3

Foram as mentiras – e não as cervejas – que deixaram Ranulfo Quirarte, o Amizade, completamente bêbado. Ele inventara aquilo do Cigano e Adela para dominar a conversa, para chamar a atenção de todos, para, enfim, criar um mexerico ao seu gosto. Suas mentiras o haviam mergulhado num porre irremediável, um porre de falsidades das quais já não podia e nem queria se safar. Tão embriagadoras se revelaram suas notícias que até ele as tomou por certas. Os fatos – aquilo que realmente acontecera – já não contavam. Agora, o que valia era a sua versão.

Só ele sabia que não estivera procurando caça nos pastos vizinhos ao rio, mas sim do lado contrário, entre as matas de esponjeiras que rodeavam as encostas do Bernal. Só ele sabia que o torso seminu, os seios expostos e o rosto apavorado, iluminados no meio da noite, pertenciam a Gabriela Bautista e não à moça a quem tinham perfurado o coração. Só ele sabia que os corpos avistados entre os clarões eram um casal de adúlteros que se devoravam de desejo, e não um assassino atracado com sua vítima. Só ele, e mais ninguém, sabia disso.

Ranulfo intuiu que o engano por ele desenjaulado se tornaria cada vez mais feroz e perigoso, e que já não havia modo de domesticá-lo. Tinha embriagado os outros homens do povoado com suas mentiras: aos olhos de todos, o Cigano era o culpado. Esta era a nova verdade, e Ranulfo teria de acreditar nela para sempre.

4

Sentiu que um escorpião lhe caminhava pelas costelas e deu um tapa no peito, só para descobrir que uma deslizante gota de suor era o que na realidade o havia despertado. Abriu os olhos várias vezes, tentando se livrar do peso do sono. Já desperto, demorou alguns segundos para localizar onde se encontrava, até que o chapinhar da água contra as pedras o situou. O Cigano ergueu o rosto e fitou o sol refletido na poça de transpiração que lhe alagava o ventre. Levantou-se devagar, apoiando-se o menos possível sobre sua adormecida perna esquerda. Uma brisa leve soprou do açude e o Cigano balançou a cabeça para secar o suor que lhe molhava a nuca. Olhou para o céu e calculou que passava do meio-dia. Havia dormido pelo menos cinco horas. Tanto tempo de cara exposta ao sol lhe ressecara os lábios. Umedeceu-os com saliva e também com saliva esfregou as pálpebras ardidas. Esfregou a coxa para eliminar o formigamento de sua perna intumescida. Massageou-se por um bom tempo. Tentou se lembrar de algum sonho, mas nenhum lhe veio à mente. Contudo, os beijos de Gabriela Bautista persistiam com tal frescor em sua língua que ele supôs ter sonhado com ela.

O Cigano tirou a calça, correu até a margem do açude e, com um salto certeiro, jogou-se na água, que, embora morna, o aliviou um pouco do calor que começava a exasperá-lo. Ficou boiando, contemplando os mergulhões que voavam rentes ao dique.

Brincou no açude até sentir fome. Saiu da água e parou sobre uma pedra, secando-se com os raios do sol. Escutou ao longe o tráfego de uns tratores que escavavam a terra. O ruído o agradava: recordava-lhe o rugido dos rebocadores a puxarem os barcos na boca do porto. Vestiu-se e caminhou até a caminhonete. Abriu a porta do motorista, ligou o rádio e procurou sintonizar uma estação. Percorreu o espectro do mostrador e topou com uma rádio de

Tampico que ele costumava ouvir quando criança. Aumentou o volume e se dirigiu à traseira da caminhonete. Remexeu dentro de um caixote, tirou uma lata de atum, outra de ervilhas, um frasco de maionese, um de pimenta *chipotle* e um pão-de-fôrma Bimbo. Preparou um sanduíche com quatro fatias de pão e devorou-o rapidamente. Abriu um Squeeze de toranja e foi se sentar sobre o capô para bebê-lo. No rádio, transmitiam "A Hora dos Desconsolados". Ocorreu-lhe que os verdadeiros homens nunca eram abandonados por uma mulher e que "os desconsolados" eram uma cambada de cornos incapazes de decifrar os desejos femininos. O locutor, que afirmava o contrário, não parava de elogiar "esta casta de homens nobres e generosos, que, mesmo sofrendo, permitem que sua mulher siga seu próprio caminho".

Enquanto o locutor discursava sobre "a saborosa dor do amor perdido", o Cigano rememorou a noite anterior: cada noite com Gabriela era mais intensa, e a cada noite intensa Gabriela se sentia culpada e pedia ao Cigano que a deixasse em paz, e ele se largava de Loma Grande e Gabriela Bautista ficava em paz, enredada em sua paz, asfixiada em sua paz, esperando ávida a noite em que o Cigano voltaria para lhe arrebatar sua paz.

"São catorze horas e cinqüenta minutos, e agora escutaremos *Eu já não me arrimo nessa árvore*, com Los Huracanes del Bravo", disse a voz melosa do locutor.

Com um salto, o Cigano desceu do capô, bebeu o resto do refrigerante e entrou na cabine. Era mais tarde do que ele pensava. Tinha de dirigir até San Fernando para pegar um lote de gravadores portáteis. Se não se apressasse, chegaria ao anoitecer e já não encontraria o contrabandista que lhe entregaria a remessa. Restabelecer o contato seria difícil.

Desligou o rádio e acionou o motor. Começou a girar o volante para a direita quando, de repente, parou. Ficou pensativo uns instantes. O sabor dos beijos de Gabriela ainda não se diluíra em sua boca. Jamais se empolgara tanto com uma mulher: sonhava diariamente com ela, pensava nela sem parar e era precisamente ela que sua carne reclamava.

Devagarinho, foi torcendo o volante para a esquerda, rumo ao caminho que, em linha reta, desembocava na rua principal de Loma Grande. Pisou no acelerador, com uma idéia a lhe ocupar o pensamento: roubar Gabriela Bautista e se refugiar com ela em Tampico. Arrancou, decidido. Tinha percorrido um quilômetro quando freou bruscamente. Contemplou fixamente o horizonte. Respirou fundo, engrenou marcha à ré, deu um giro completo e seguiu na direção oposta.

5

Pedro Salgado se esgueirou pela porta e entrou em casa. Gabriela Bautista o fitou absorta, com o terror suspenso na órbita dos olhos. Pedro era um homem de brutalidade pausada, e ela o sabia. Se a matasse, seria sem estardalhaço. Como da vez em que, com um único e discreto golpe de foice, cortara a garganta de um rapaz de outro povoado que insistia em olhar lascivamente para a mesma Gabriela, e que só não morreu graças ao milagre de um médico de província que, à falta de instrumental cirúrgico, costurou o ferimento com um anzol. Não, Pedro Salgado não era um homem dado a hesitações. Já o demonstrara nessa e em muitas outras oportunidades. Apesar de tudo, Gabriela o considerava um bom marido: carinhoso, trabalhador, responsável, e bêbado exclusivamente nos fins de semana. Jamais lhe dera um tapa sequer, embora ameaçasse esquartejá-la à primeira infidelidade que viesse à tona. Ameaça que – Gabriela o sabia – Pedro cumpriria cabalmente.

Pedro observou sua mulher ajoelhada atrás da cama e disparou um sonoro "o que você está fazendo aí?" que Gabriela interpretou como o prólogo de uma carnificina selvagem.

– Procurando umas meias – limitou-se a responder.

– E já achou?

Gabriela só conseguiu responder com um débil "não".

Pedro caminhou até a mesa e se sentou num banco de madeira.

– Me dê um café e me faça uns ovos, que eu estou com fome.

Gabriela olhou medrosamente para Pedro. Levantou-se, serviu o café numa xícara e o entregou a ele. Pedro adoçou o café com quatro colheradas de açúcar e começou a bebê-lo devagar.

– Onde você esteve o dia inteiro? – perguntou, sem emoção.

Trêmula, Gabriela derramou o azeite da garrafa que estava segurando e virou-se para o marido. Buscou no olhar dele a sombra de uma fúria contida, mas só encontrou a expressão embotada de dois dias de bebedeira contínua. Com as sobrancelhas levantadas e a boca aberta, Pedro esperava a resposta.

– Não saí de casa desde ontem à noite – disse Gabriela, com uma serenidade extraída do nada.

Pedro olhou sua mulher dos pés à cabeça.

– Então, não sabe? – interpelou-a, com certa incredulidade.

Gabriela sentiu o medo voltar. Não sabia se Pedro a sondava, para induzi-la a mentir, ou se na realidade a interrogava inocentemente. A dúvida a aterrorizou.

– Sabe o quê? – perguntou, com voz entrecortada.

Se estivesse sóbrio, Pedro perceberia de imediato o nervosismo de sua mulher. Mas o manso torpor de sua embriaguez só lhe permitiu dizer:

– Que mataram a namorada do meu primo Ramón.

Gabriela pôde sentir que o medo se dissipava pouco a pouco e por fim lhe permitia articular, sem que sua voz tremesse:

– Qual Ramón? O da venda?

Pedro assentiu. Aliviada, Gabriela deu-lhe as costas e começou a preparar os ovos. Cansado como estava, Pedro foi resvalando sobre a mesa até ficar quase deitado. Gabriela terminou de fritar os ovos, botou-os num prato e os colocou diante do marido. Pedro os farejou e esfregou o rosto com ambas as mãos, para afastar o sono.

– Me passe um pãozinho – pediu. Gabriela tirou um de um saco e o entregou ao marido. Este o esfarelou e, com um pedaço, quebrou a gema.

Gabriela notou que Pedro vestia apenas a camiseta sem mangas.

– Cadê sua camisa?

Pedro parou com o pedaço de pão a meio caminho da boca.

– Emprestei ao meu primo – respondeu, depois de alguns segundos –, ele precisava de uma para o velório.

– E como se chamava a namorada de Ramón? – perguntou Gabriela, aparentando candura.

– Adela – respondeu Pedro.

Gabriela repassou mentalmente o nome.

– Adela?

– Sim – confirmou Pedro –, mas acho que você não a conhecia, ela era das novas.

– Não, eu não a conhecia.

Pedro prosseguiu em sua tarefa de molhar o pão na gema para depois comê-lo com evidente gosto.

Gabriela examinou cada um dos movimentos do marido, em busca da possível revelação de um ciúme oculto, mas não achou nenhum indício. Tranqüila, fez a última pergunta:

– Já sabem quem matou a moça?

Pedro tomou às pressas um gole do seu café, para responder com prontidão, e, salpicando as palavras, respondeu:

– Sim... o Cigano...

Gabriela Bautista emudeceu e voltou a transpirar um suor vindo do âmago.

Capítulo IX

A noite dos outros

1

Durante toda a noite, Astrid Monge não conseguiu pregar olho nem afastar de sua mirada a tenaz silhueta do cadáver da amiga. Não quis jantar: ainda perdurava nela o cheiro de couro cru expelido por Adela. Sua mãe, ao vê-la tão mortificada, quis aliviar seu mal-estar colocando-lhe nas têmporas umas compressas de mamoninho-bravo. Não adiantou: a filha trazia cravada dentro de si a ácida sensação da morte.

Adela se esfumara de um instante para outro. Se, ao vesti-la, não a sentisse gelada entre suas mãos, Astrid não teria acreditado. A morte de Adela abrira um vazio em sua vida. Embora tivessem tido pouco tempo para se conhecer, arraigara-se em ambas uma amizade cúmplice. Conversavam sobre coisas que elas nunca imaginariam pudessem ser mencionadas entre mulheres. Astrid iniciou a ronda de confidências, falando daquilo que considerava mais íntimo: sonhos rebeldes, desejos inesperados. Seus pequenos segredos de adolescente logo foram superados pelas vorazes histórias de Adela. Com suas maneiras comedidas, a taciturna forasteira soubera dissimular o sangue quente que lhe corria nas veias. Mas, pouco a pouco, foi revelando a Astrid as ânsias amorosas que a corroíam, embora nunca dissesse o nome de quem lhe deixava marcadas no corpo o que ela chamava de "pegadas da paixão": arranhões, mordidas, círculos arroxeados logo abaixo dos mamilos, entre as dobras do abdome, no meio das coxas, na parte da nuca escondida pela cabeleira, e que Astrid contemplava assombrada, quando Adela as exibia com atitude de fêmea satisfeita.

"Estou apaixonada, alucinadamente apaixonada", repetia Adela a cada momento, sem dar pistas sobre a identidade do seu amante. Astrid demorou a entender que Adela andava com um homem casado com quem se enroscava todos os dias, pouco antes do amanhecer, na espessura das moitas que cresciam na margem do rio.

Os pais de Adela supuseram um romance de sua filha. Era evidente, não só por suas mudanças de humor e por uma alegria desperta, mas também porque, não poucas vezes, a mãe lera as cartas que Adela escrevia ao namorado fantasma e que inocentemente escondia embaixo do colchonete do catre onde dormia. Devotos católicos que costumavam prevenir os filhos sobre os perigos e os malefícios do pecado, nunca suspeitaram dos gozosos orgasmos com os quais Adela inaugurava suas manhãs. As cartas não indicavam tal possibilidade: redigidas de modo confuso, mais pareciam se referir a uma relação com um rapaz direito e formal, cuja identidade Adela ocultava.

Uma noite, decidiram interrogá-la para esclarecer os motivos do seu sigilo. Às perguntas dos pais, Adela respondeu serenamente que o namorado em questão era um jovem do povoado, de sua mesma idade, que a respeitava totalmente, que alimentava intenções sérias e que ela lhes apresentaria naquele domingo, o mesmo em que a mataram.

Para se livrar do enredo em que se metera, Adela pensou em solicitar ao irmão de Astrid que, durante alguns dias, fingisse ser seu namorado. Mas, por prudência, culpa e um pouco de vergonha, não se atreveu.

Os pais engoliram totalmente a virginal historieta inventada por Adela. Somente Astrid compartilhava com ela os segredos da verdadeira e ousada história de amor e era a única a saber que

Adela planejava fugir com seu amante anônimo para as anônimas paragens da serra de Tamaulipas. Não insistiu em averiguar o nome: com sua imutável negativa, a amiga acabou por fazê-la desistir dessa informação. A curiosidade só lhe retornou quando ela soube que Adela fora assassinada. Imaginou várias identidades possíveis, mas foi descartando cada um dos nomes que lhe passavam pela cabeça: não se adequavam à descrição que Adela fizera do seu homem. Porque Adela não o tinha representado com os qualificativos elementares: alto, louro, bonito, moreno, magro, gordo, mas sim com os mais contundentes: valente, sacana e muito carinhoso. Três adjetivos difíceis de aplicar a quem quer que fosse.

Astrid supôs que Ramón Castaños era quem finalmente se prestara a servir de álibi para Adela. Era perfeito para o papel, pois personificava o tímido namorado referido por ela. Ao que parecia, os pais haviam acreditado na mentira e por isso o seguiam por toda parte durante o velório, como se ele fosse um dos enlutados mais próximos.

Astrid parou de buscar identidades quando, de madrugada, chegou seu irmão. Vinha da vendinha de Ramón e trazia para casa a notícia urgente: era o Cigano quem tinha assassinado Adela. De início, Astrid se desconcertou: não via o Cigano como o possível amante de sua amiga e, portanto, como seu verdugo mais provável. O Cigano não era casado nem morava em Loma Grande, e Adela sempre a fizera presumir que seu homem fazia amor com ela diariamente. Sem dúvida, porém, ele era o único que se enquadrava no fugaz retrato elaborado por Adela.

2

A viúva Castaños tentou se movimentar o mínimo possível para evitar que, lá fora, as pessoas percebessem o ranger da cadeira de balanço que ela havia encostado à parede para escutar a conversa. Naquela noite do domingo, a maior parte das afirmações reiterava a culpa do Cigano, até que uma frase se destacou entre as muitas pronunciadas sob o calor das cervejas: "você tem de vingar a moça... mate aquele sujeito", sentenciou uma voz sombria: a de Torcuato Garduño. A viúva deduziu que a frase se dirigia ao seu filho e grudou o ouvido à fresta pela qual espiava. Escutou primeiro o silêncio de Ramón e depois um coro de risadas. De início, não adivinhou o que acontecia, mas inferiu que Torcuato estava brincando e os outros, zombando da lividez do rosto de Ramón. De fato, era isto mesmo. Parecia impossível que Ramón tivesse coragem suficiente para se atracar com o Cigano. Ramón o sabia e os outros também, porque, na realidade, poucos se atreveriam a isso. À força de exibir suas oito cicatrizes mortais – as cinco por facão e as três por bala –, o Cigano forjara para si o mito de invulnerável. "Ele tem pele dupla" – diziam –, "por isso agüenta tudo". Ademais, rumores incertos e remotos lhe atribuíam a morte de quatro homens. Por fim, e acima de tudo, Loma Grande era um povoado respeitador da lei e havia muito tempo que ninguém fazia justiça com as próprias mãos.

– Carmelo Lozano vai se encarregar daquele canalha – decretou Justino Téllez.

A viúva Castaños escutou a surda aprovação dos outros e se alegrou: não queria ver seu filho envolvido numa briga perdida de antemão. Satisfeita pela resolução de Justino, já ia afastando o ouvido da fresta quando a voz cavernosa de Marcelino Huitrón fez com que ela se grudasse de novo à parede.

– Não seja cagão – lançou ele a Ramón –, mate aquele filho da puta, porque Carmelo Lozano não vai sequer tocar num fio de cabelo dele.

Desta vez não houve mais risadas nem brincadeiras. Tempos antes, um filho de Marcelino tinha sido atropelado e Carmelo liberara o responsável depois de lhe extorquir um milhão de pesos. Manteve-o no xadrez por menos de um dia.

– Carmelo e aquele veado são sócios – acrescentou Marcelino, e era verdade: o Cigano pagava ao comandante uma quantia mensal para que este lhe permitisse introduzir contrabando na Zona Sul de Tamaulipas. – Portanto, não vai acontecer nada – insistiu. – Lozano não vai torcer o pescoço de sua galinha dos ovos de ouro.

Justino Téllez quis intervir. Sempre havia lutado para evitar que os crimes fossem punidos por meio de violência. Tinha presenciado a matança entre os Jiménez e os Duarte e sabia que a vingança não apaziguava inimizades, pelo contrário: as duas famílias se haviam exterminado sem dirimir as diferenças. Estava convencido de que a prisão era melhor do que o derramamento de sangue.

Quando Téllez tentou falar, Marcelino lhe calou a boca.

– Não venha choramingar, Justino – disse, plantando-se na frente dele –, porque certas coisas têm de ser resolvidas de homem para homem. Deu meia-volta e cravou o olhar em Ramón: – E, se você não for suficientemente macho para matar o Cigano, mato eu – concluiu, sem titubear.

– Não se meta, Lino, que isso não é assunto seu – interveio Justino Téllez –, e, se é coisa de homens, deixe que Ramón se resolva por conta própria.

Marcelino assentiu pesadamente com a cabeça.

– Tudo bem – disse –, não vou falar mais nada, só quero fazer uma última pergunta.

Os outros se viraram para olhá-lo, expectantes. Marcelino cravou de novo os olhos no rosto de Ramón.

– O que você vai fazer, porra? – disparou à queima-roupa.

Fez-se um silêncio profundo. De sua cadeira de balanço, a viúva quis gritar um "deixem meu filho em paz", mas só conseguiu balbuciar um inaudível "valha-me Deus".

A interpelação pegou Ramón na boca do estômago. Não havia escapatória: aquela pergunta só admitia uma única resposta. Ele engoliu em seco: ou era homem para sempre ou não o seria nunca.

– Vou matá-lo – retrucou, embargado por uma queimação na garganta. – Vou matá-lo assim que topar com ele.

Marcelino levantou a garrafa de cerveja que segurava.

– Saúde – mastigou.

Justino Téllez deu um tapinha no ombro de Ramón.

– Bem falado – disse.

O sangue triunfara e ele não ia fazer nada para impedi-lo de correr: Ramón devia se resolver por conta própria.

3

Um rato passou correndo por cima da mesa, pegou um pedaço de tortilha abandonado sobre um pano sujo e fugiu escorregando pela perna de uma cadeira. Natalio Figueroa o observou até vê-lo escapulir por uma greta embaixo do guarda-roupa. Eram três da madrugada e Natalio aguardava o possível anúncio que delatasse o assassino de sua filha.

Quando ele era criança, sua mãe costumava lhe dizer que as más notícias eram noturnas. Agora, Natalio rejeitava essa afirmação: sempre as recebera à luz do dia. Às onze da manhã de um domingo de junho, fora avisado de que seu filho Erasmo regurgitava os últimos suspiros estendido numa rua lamacenta, com o crânio perfurado por uma bala disparada a esmo por um bêbado inconseqüente, que encerrava a tiros uma noite de farra; às oito da manhã de um sábado de abril, chegara à porta de sua casa a notícia de que seu filho Marcos se despedaçara contra umas pedras, ao cair de um cavalo enlouquecido, pulverizando o frágil cordel de ossos que lhe unia o pescoço à cabeça; e no dia anterior, às três da tarde e para confirmar que o mau agouro era diurno, Evelia informara a ele e a Clotilde que o cadáver de sua filha estava jogado como um trapo à margem de uma plantação de sorgo.

Bebeu um gole de café frio e aguado. Sua mulher dormitava, balbuciando pesadelos. Natalio a observou, impassível. Já não tinha forças para ir consolá-la, nem sequer vontade de viver. Só o confortava a possibilidade de saber quem era o homicida para ir rasgar-lhe com faca um sulco no peito.

Natalio percebeu no aposento um golpear leve e insistente. Examinou a mesa e descobriu uma mariposa que, batendo furiosamente as asas, ricocheteava desajeitada contra a tampa de uma panela de estanho. Ele tomou-a entre os dedos, arrancou-lhe as asas e jogou-a no chão. A mariposa avançou alguns centímetros pela terra pisoteada e se perdeu entre as sombras.

Natalio sacudiu com um sopro o pó que o inseto lhe deixara nas mãos. Os cachorros do vizinho latiram. O velho se levantou e se debruçou à janela. No escuro, não conseguiu distinguir quem vinha, mas imaginou serem os que lhe trariam as indicações sobre o assassino.

Instalou-se atrás da porta para esperar que batessem. Nervoso, acordou Clotilde com um assovio. A mulher se levantou, alarmada.

– O que aconteceu? – perguntou, com o olhar ainda embotado pelo sono.

Natalio apontou a porta. Sem compreender o que acontecia, ela calçou uns chinelos e caminhou até o marido.

– Boa-noite – pronunciou uma voz lá fora. Natalio abriu e deu com dois desconhecidos, os quais não se lembrava de ter visto no enterro. Examinou-os antes de responder ao cumprimento.

– ' Noite – disse secamente.

Um dos homens lhe entregou um saco plástico.

– Trouxemos isto aqui para vocês comerem.

Natalio se desconcertou com a imprevista cordialidade dos visitantes. Pegou o saco e agradeceu com um sussurro. Ele e os dois homens se mantiveram calados. Lá de dentro, Clotilde os convidou para entrar:

– Aceitam um café? – perguntou.

Os homens entraram e se sentaram à mesa. Clotilde abriu o pacote e esvaziou o conteúdo – seis *tacos* de ovo mexido com batata e cebola – dentro de uma travessa. Natalio, sem fome, esforçou-se por comer um, para não parecer grosseiro. Os estranhos devoraram os outros *tacos*, com o pretexto de forrar o estômago para contrabalançar o efeito das cervejas que acabavam de beber.

Nenhum dos dois desconhecidos mencionou qualquer coisa sobre o crime. Dedicaram-se a perguntar um ao outro sobre o número de filhotes de cordeiro que o coiote lhes matara, sobre as datas dos próximos bailes a se realizarem em Xico, sobre as eleições para o novo comissário comunal e sobre o nível do açude no período de seca. Pareciam ter ido à casa de Natalio exclusivamente para continuar uma conversa anterior.

Clotilde e Natalio os escutaram pacientemente durante uma hora e meia, até que um dos estranhos decidiu que era o momento de irem embora. Desalentado, porque os homens em seu diálogo não tinham infiltrado o mínimo dado sobre a identidade do assassino, Natalio se levantou para se despedir deles.

– Boa-noite – disse.

– Boa-noite – respondeu o mais amável dos desconhecidos, e ficou olhando para ele.

– O que foi? – perguntou Natalio, com ansiedade.

O outro retardou a resposta por alguns instantes.

– Nada, só queríamos lhe dizer que já sabemos quem matou sua menina.

Um calafrio sacudiu Natalio:

– Quem? – perguntou ele, tentando dominar sua agitação.

– Um tal de Cigano...

Ao ver que Natalio não dava mostras de conhecê-lo, o homem acrescentou:

– É um que anda numa Dodge preta.

Natalio sentiu a raiva latejar em suas têmporas. Não sabia de quem eles falavam, mas iria procurá-lo. Só precisavam lhe dizer que caminho tomar.

– Onde ele mora?

O homem fez uma careta.

– Não mora por aqui... É de fora.

– É um safado, esse tal de Cigano – acrescentou o outro homem –, já aprontou poucas e boas por aí.

– Pois esta ele vai pagar – assegurou Natalio –, porque eu vou matar esse filho da puta.

O homem balançou a cabeça.

– Não, o quê? – perguntou Natalio, irritado.

– Agora é tarde – disse o homem –, porque Ramón Castaños acaba de se comprometer a matá-lo.

– Ele não tem obrigação – sentenciou Natalio.

O homem voltou a balançar a cabeça.

– O rapaz já jurou e vai ficar mal se não cumprir... e ele tem obrigação, sim, porque pretendia se casar com sua filha.

A resposta tranqüilizou o velho: se Ramón prometera vingar Adela, ele devia respeitar essa decisão.

– O Cigano se escafedeu logo – acrescentou o homem –, mas Ramón garantiu que vai achá-lo.

– Então, depois eu o procuro para agradecer – disse Natalio.

4

Na primeira vez em que o Cigano a abraçara, Gabriela Bautista tinha se assustado, não pelo que ele fez, mas pelo que ela mesma sentiu. O homem a enlaçou pela cintura, tomando-a de surpresa quando ela voltava do curral situado atrás de sua casa, aonde fora dar capim às cabras. Gabriela tentou se safar. Pedro, seu marido, não demoraria a chegar no caminhão que trazia de volta os colhedores de algodão das plantações do Salado. O Cigano a imobilizou, mais com palavras do que pela força.

– Se você quiser, eu solto – disse.

Gabriela parou de se debater. Os olhares deles tinham se cruzado suficientes vezes para que ambos entendessem não ser fortuito aquele abraço. Contudo, o lugar e a hora o tornavam inoportuno e perigoso. Gabriela não queria se desprender daquele homem que a apertava, mas também não tinha a intenção de provocar uma calamidade. Para intimidá-lo, sem o repelir, não achou outro remédio senão relaxar o corpo e perder o olhar no infinito.

O Cigano não soube como interpretar a repentina languidez da mulher que escorregava dos seus braços. Respondeu apertando-a com mais ímpeto ainda. Ela se manteve igual, sem oferecer resistência. Ele a soltou decepcionado, sem adivinhar que, sob sua aparente frieza, Gabriela escondia um desejo que a sufocava.

– É melhor eu ir embora – murmurou o Cigano, entre aborrecido e encabulado.

Sem mudar em absoluto a expressão do rosto, Gabriela disse:

– Não me solte.

Alucinado, o Cigano virou-se para ela e beijou-a nos lábios. Por inércia, Gabriela ergueu as mãos e agarrou o dorso do homem. Sob o tecido da camisa molhada de suor, apalpou a cordilheira de cicatrizes que ondulava as costas dele. Excitou-se profundamente. Aquele dorso penhascoso lhe pareceu imponente e viril. Ela tensionou o corpo, lambeu a boca amarga do Cigano e o afastou de si.

– Vá embora – ordenou.

Já em chamas, o Cigano quis agarrá-la de novo, mas Gabriela, enérgica, interpôs seus antebraços.

– Vá embora – repetiu –, que Pedro está chegando... Depois nos vemos.

Ele partiu satisfeito: Gabriela já não lhe escaparia. Ela ficou parada no meio do terreiro, suportando o calor que se desatava entre suas pernas.

Nessa noite, não parou de pensar naquele dorso riscado de cicatrizes, como também não deixou de fazê-lo, dois anos depois, na noite em que Pedro lhe disse que o Cigano era o assassino de Adela Figueroa. Só que, agora, imaginou-o diferente: não como o dorso que tantas vezes havia estremecido de prazer em cima dela, mas como o dorso de um homem a quem perseguiriam até aniquilá-lo. Esse era o seu pesadelo: que o massacrassem pelas costas, porque só pelas costas poderiam matá-lo. Ninguém se atreveria a isso de frente.

Era impossível que o Cigano tivesse cometido o crime que lhe atribuíam. Só ela sabia disso com certeza, e só ela podia provar sua inocência. Mas confessar a verdade significaria expor-se demais, trocar sua própria vida pela dele. Gabriela teve medo e pensou que nada poderia fazer para salvá-lo, nada. Embrulhou-se nos lençóis e chorou. Recordou de novo o dorso, as horas passadas com o Cigano e o enorme desejo de estar com ele. Nunca imaginara que seu segredo lhe doeria tanto. Fechou os olhos e tentou adormecer naquela noite pegajosa.

5

Justino Téllez se retorceu na cama e de novo abriu os olhos. Sua cabeça rodava. Não pelas incontáveis garrafas de cerveja Victoria que havia bebido, nem pelas horas insones numa noite cheia de mosquitos e de um calor viscoso, nem por toda a trabalheira com a morta, mas por um pensamento indefinido que se fixara em sua mente e o impedia de dormir.

Não tinha motivo para se ver tão intranqüilo. A história do crime parecia resolvida: além da versão de Ranulfo Quirarte, tinham surgido várias outras sobre o proceder do Cigano e que confirmavam sua culpa: Torcuato Garduño se lembrou de tê-lo visto rondando a casa de Adela durante várias madrugadas; Macedonio Macedo asseverou que o encontrara amolando uma faca idêntica à que havia sido furtada de Lucio Estrada; Pascual Ortega narrou as grosseiras cantadas que o Cigano lançava a Adela, e às quais ela respondia com eloqüente indiferença; Juan Carrera ouvira-o falar do tremendo ciúme que sentia de uma mulher do povoado, a quem dizia amar mas cujo nome jamais mencionara; e Pedro Salgado afirmou ter notado nele, desde algum tempo antes, um comportamento estranho. Tudo indicava que o assassino era o Cigano.

Já eram nove da manhã e Justino, que havia desabado na cama às cinco, ainda não conseguira adormecer. Alguma coisa não batia: um detalhe vago, fora de lugar, que lhe estimulava a insônia e que ele, estonteado como estava pela embriaguez, não conseguia decifrar.

Durante muito tempo, remexeu-se entre os lençóis, tentando relaxar, e não conseguiu. "Caralho", pensou, "o que é que eu tenho"? Uma sensação azeda lhe percorreu a garganta e lhe raspou a língua. Estava caindo de cansaço, mas a maldita idéia que lhe atropelava o sono não se manifestava de uma vez. Se sua mulher fosse viva, já lhe teria receitado um remédio para a dificuldade de dormir, mas ele era viúvo e não tinha em casa quem o aconselhasse.

Levantou-se, todo moído, e aos tropeções alcançou um cesto que usava como despensa. Revolveu o interior, buscando algo que o livrasse do desassossego. Tirou um pote de café solúvel, uma lata de leite em pó, uns *tamales* embrulhados, um pedaço de carne-seca de cavalo, uns tomates, umas pimentas verdes, até que por fim achou aquilo de que precisava: umas sementes de ébano.

Botou-as para ferver numa caçarola. Quando a água ficou avermelhada, retirou a caçarola do fogo e acrescentou-lhe duas colheradas de leite em pó. Bebeu a infusão gole a gole, até o fim. Voltou para a cama e se reclinou. A beberagem fez efeito e Justino começou a cochilar. Ainda confusa, a idéia que lhe martelava a mente voltava de vez em quando, mas ele não se importou: a sonolência o dominava.

Já estava quase dormindo quando, de repente, uma imagem lhe surgiu dos sonhos e esclareceu tudo: a imagem de uma pegada que media um palmo e três dedos: a pegada do assassino. O pé do Cigano devia medir, no mínimo, dois dedos mais. Sim, era isso que girava em sua cabeça, e essa foi a última coisa em que ele pensou antes de mergulhar no sono.

Capítulo X

Cartas de amor

1

Depois de muito matutar, Ramón Castaños por fim conseguiu achar a palavra exata que o ajudasse a expressar todo o caos em que vinha afundando desde a véspera:

– Xeque – murmurou.

Torcuato Garduño e Jacinto Cruz, extraviados em seus monólogos de bêbados, ergueram a cabeça ao mesmo tempo.

– O quê? – perguntou Torcuato, alongando as vogais.

– Nada – retrucou Ramón.

Os dois o encararam com olhar opaco e voltaram à sua conversa. Ramón repetiu para si mesmo:

– Xeque – desta vez, num sussurro tão apagado que os outros não o escutaram.

Na realidade, ele não sabia o que significava "xeque", mas, num dos contos do *Livro do vaqueiro*, o herói da história, ao se ver cercado por uma tribo inteira de apaches, gritava a plenos pulmões para os companheiros: "estamos em xeque". Ramón não se lembrava do desenlace, mas havia memorizado para sempre a palavra que sintetizava a aflitiva situação dos protagonistas, e que desde então ele utilizava para descrever seus próprios impasses.

"Estou em xeque", pensou com gravidade, imaginando-se como um vaqueiro cercado de apaches. Porém, muito mais em xeque ele ficou quando às sete da manhã, ainda de pé atrás do balcão, sem dormir, agüentando os disparates de uma dupla de bêbados e com o coração oprimido por seu suposto amor a uma morta a quem forçosamente teria de vingar, viu Natalio Figueroa se aproximar da venda.

Refugiou-se ao lado das prateleiras na esperança de passar despercebido e de que o velho seguisse adiante. Em vão, porque a pessoa que Natalio buscava, precisamente àquela hora da manhã, era ele mesmo.

O velho chegou à entrada da venda e mastigou um "bom-dia". Torcuato e Jacinto se viraram para olhar e, ao reconhecê-lo, levantaram-se entorpecidos. Ramón, em cujos olhos inchados eram evidentes as conseqüências da vigília, respondeu ao cumprimento com uma tímida inclinação de cabeça. Natalio Figueroa, com as mãos metidas nos bolsos da calça, desabou numa cadeira e passou a examinar o conteúdo das prateleiras, como se estivesse indeciso quanto ao que compraria.

Torcuato e Jacinto sentaram-se de novo. Ramón achou Natalio mais acabado do que no dia anterior. Teve a impressão de que, a qualquer momento, ele podia se partir em dois.

Ramón não queria dialogar com Natalio nem com mais ninguém. Ansiava por ir se deitar e dormir três dias seguidos.

– Já comeu? – perguntou-lhe Natalio, na intenção de levá-lo para fazer o desjejum em sua casa, a fim de poder conversar a sós com ele.

– Sim – respondeu Ramón, com firmeza.

Torcuato Garduño olhou-o desconfiado.

– A que horas, se você está aqui desde ontem à noite? – inquiriu, enrolando as palavras.

Ramón apontou uma prateleira que continha vários saquinhos de tira-gostos.

– Andei beliscando e fiquei sem fome – mentiu, porque, na realidade, sentia um buraco no estômago. Só tinha comido duas barras Marinela e uns crocantinhos de milho, mas ansiava por se livrar logo de Natalio e dos dois bêbados. Não queria falar, nem continuar de pé, nem pensar mais na história de Adela. Aquilo tudo o deixava tonto.

Natalio compreendeu que o rapaz estava cansado e exasperado, mas tinha urgência de conversar com ele.

– Minha mulher fez uns *tamales* de manjuba e me mandou convidar você – acrescentou Natalio, certo de que Ramón não recusaria uma proposta tão direta.

Ramón contornou o balcão, pediu a Torcuato e Jacinto que desocupassem as cadeiras, guardou-as no fundo da venda junto com as mesas, fechou a porta e trancou-a amarrando uma corda nas argolas. "Volto já", gritou para a mãe. Despediu-se dos bêbados com um "daqui a pouco nos vemos" e disse ao velho:

– Pronto, vamos.

2

A caminho da casa dos Figueroa, Ramón começou a se sentir mal. Não só por estar voltando àquela casa ainda impregnada pelas emanações da morta, mas porque, a cada passo junto de Natalio, imaginava que quem ia ao seu lado era a própria Adela. Ambos olhavam de maneira igual, tinham gestos parecidos e até pisavam de um modo similar. Além disso, as cigarras ciciavam da mesma maneira e o sol queimava do mesmo jeito que na manhã anterior, quando ele roçara com seus braços a pele morna de Adela. Assim, passo a passo, foi como se Adela se materializasse: sorria no sorriso do pai, respirava na respiração dele, caminhava em seu caminhar. Ramón, que nunca ouvira dela mais de duas frases juntas, até escutou-a brincar, chorar, rir. Parou para descansar, no meio da rua. Fechou os olhos e massageou a nuca. Longe de desaparecer, a imagem espectral de Adela cresceu em seu interior. Cresceu tanto que ele lançou um olhar de desespero ao velho, o qual só conseguiu perguntar:

– O que você tem?

A voz áspera de Natalio rompeu o feitiço e a figura de Adela se desmanchou na poeira matinal.

– Nada... não tenho nada – respondeu Ramón, com um suspiro fundo.

Chegaram à casa e Ramón entrou. Atingiu-o um aroma conhecido: o do perfume de rosas que Adela usava quando ele a encontrara caída à beira da plantação de sorgo. Clotilde Aranda havia espargido umas gotas da fragrância para eliminar do ambiente os eflúvios do cadáver. O doce odor floral atordoou Ramón: o fantasma de Adela voltava a se infiltrar nele, agora pelo nariz. Ele a vislumbrou de relance sobre o catre, nua, cheirando a rosas, erguendo os braços em sua direção. "É um sonho... estou cansado", pensou, e, resignado a suportar por algum tempo a onipresença da morta, deixou Adela recostada no catre e se sentou para comer.

Clotilde serviu os *tamales* acompanhados de feijão refogado e café preto. Ramón comeu depressa, quase sem levantar os olhos do prato. Era tal sua concentração em cada bocado que Natalio e Clotilde decidiram não o distrair e se limitaram a mastigar sua dor em silêncio.

Terminada a refeição, Clotilde tirou a mesa. Limpou-a cuidadosamente, sem deixar nada em sua superfície. Cerimonioso, Natalio se levantou e foi buscar uma caixa de papelão. Colocou-a sobre as pernas, abriu-a e tirou um maço de papéis. Com delicadeza, separou um.

– São as notas de Adela quando cursava a quinta série – informou. Estendeu a mão e entregou a Ramón a folha amarelada.

– Ela gostava de estudar... a professora dizia que ela era a mais aplicada da escola – continuou Natalio, com uma leve expressão de orgulho.

Antes de verificar as muitas notas nove e dez em espanhol, matemática, ciências sociais, ciências naturais, Ramón contemplou a fotografia de Adela grampeada na parte superior do boletim. Era uma fotografia enrugada e opaca, em preto-e-branco e três quartos de perfil. Adela aparecia séria, o cabelo penteado para trás, a testa ampla, os olhos claros dirigidos para um ponto impreciso.

– Tinha treze anos nessa época – assinalou Clotilde – e era a mais alta da turma.

Ramón virou-se para ela, a fim de fazer uma pergunta qualquer, mas a mulher tinha emudecido e já não lhe prestava atenção. Algo havia cruzado a sua mente, deixando-lhe no rosto uma expressão distante e infantil. Ramón examinou de novo o retrato. Adela não usava brincos. Tampouco exibia pintura nos lábios ou delineador nos cílios. De seu pescoço pendia uma fina corrente que se ocultava entre as dobras da blusa: uma blusa branca. Ramón se perguntou se, no dia em que a fotografaram, ela estaria usando uma saia amarela. Não podia imaginá-la vestida com outras roupas senão aquelas que ela trazia na tarde em que ele a conhecera.

Natalio remexeu dentro da caixa e tirou outra fotografia: um instantâneo em cores, fosco e leitoso, no qual Adela aparecia sentada no centro de um banco de ferro com um quiosque ao fundo.

– Esta foi a última foto que ela tirou – disse o velho, com voz embargada –, pouco antes de nos mudarmos para cá.

– Que lugar é este?

– A praça principal de León. A foto foi feita no dia do aniversário dela – respondeu Clotilde.

Ramón quis perguntar a data, mas não se atreveu. Adela sorria na foto. Ramón nunca a vira sorrir. Também nunca chegou a saber a data do seu aniversário.

3

Entre fotografias, cachos de cabelo, boletins de notas, bonecas quebradas, cartões de Natal, medalhas escolares, transcorreu a manhã de Ramón. Clotilde e Natalio tentavam recuperar sua filha com esses retalhos, mais para eles mesmos do que para o rapaz.

No início Ramón os escutou com interesse: o desjejum lhe devolvera o ânimo. Por volta do meio-dia, porém, sentiu-se esmagado pela fadiga. Aturdido, escutou os relatos dos velhos. Várias vezes, pediu um café bem forte. Queria afastar o esgotamento e, sobretudo, evitar que Adela se metamorfoseasse no rosto do pai. Em três ocasiões, tentou ir embora, mas os velhos envolviam a despedida em longas recordações, tornando-a infrutífera. Na quarta, com Ramón já bem decidido a sair, Natalio o conteve com um "espere um pouquinho". Dirigiu-se ao armário e voltou com uma pilha de cartas que colocou sobre a mesa.

– São suas – disse.

Ramón olhou as cartas, perturbado.

– Minhas, como?

– Adela as escreveu para você – respondeu Natalio.

Ramón, que em sua aflição por ir embora já ficara de pé, voltou a se sentar. Clotilde interveio:

– Adela já nos tinha falado a seu respeito.

O coração de Ramón teve um sobressalto. Devia haver algum erro: ele realmente nada tinha a ver com a moça.

A mulher pegou o pacote e o depositou nas mãos dele.

– Fique com elas – ordenou suavemente –, são cartas de amor.

Atordoado, Ramón quis devolvê-las. Clotilde as recusou com firmeza.

– Minha filha lhe queria bem, não a despreze agora que ela está morta – disse com amargura.

– São suas – reiterou Natalio, ao ver o receio do rapaz. – Ela lhe escrevia à noite, quando pensava que nós já estávamos dormindo.

Ramón pegou o pacote. Embora resistisse a acreditar nos velhos, não achou que eles quisessem enganá-lo.

Despediu-se mas, antes que ele se retirasse, Natalio o deteve.

– Obrigado – disse.

– De quê? – inquiriu Ramón, vacilante.

– Por gostar da minha filha e me livrar do peso de ter de matar um homem.

Ramón se afastou de Loma Grande o máximo que pôde, correndo em largas passadas por entre as brenhas, com as cartas embaixo do braço. Procurou um lugar sombreado, onde pudesse se sentar para ler tranqüilamente. Escolheu uma pedra encravada embaixo de uma algarobeira. As cartas, cerca de cinqüenta, vinham em envelopes sem selo, e todas, sem exceção, estavam impregnadas pelo perfume de rosas.

Ele começou a folheá-las ao acaso. A maior parte trazia como destinatário um anônimo "meu amor". O resto, nem isso. Desenhos de flores e corações com a legenda "você e eu" marcavam as páginas. Algumas eram escritas com letra caprichada e ostentosa; outras, rabiscadas com traços ininteligíveis. A sintaxe era desigual e caótica: uma mixórdia de trechos desconexos. Ramón logo percebeu por quê: Adela havia combinado suas próprias frases com refrões de canções da moda copiados das coletâneas publicadas em *Notinhas musicais*. Tanta desordem fazia pensar que se tratava de mensagens cifradas para um amante que bem poderia ser o próprio Cigano. Era o que Ramón acreditaria, se não tivesse topado com cinco linhas que eliminaram nele qualquer sombra de dúvida:

Hoje eu o conheci na venda.

Você é o homem da minha alvorada.
Gosto muito de você.
Voltarei cem vezes à venda só para vê-lo.
Quero ser a única nas fronteiras do seu amor.

Bastou esse parágrafo para que Ramón passasse a ler bem mais atentamente. Adiante, achou uma infinidade de referências ocultas que coincidiam com as três ocasiões nas quais os dois se haviam encontrado frente a frente. Nelas, Adela aludia a detalhes que só eles conheciam. Mais claro, impossível: Adela o amara secretamente. Agora, ele tinha de corresponder a esse amor.

4

Clotilde Aranda e Natalio Figueroa faziam a sesta, mergulhados num torpor interminável, quando bateram à porta. Natalio abriu uma das cortinas e viu Ramón parado junto à casa.

– O que foi? – perguntou, da janela.

Ramón se aproximou. Trazia consigo o feixe de cartas. Mostrava-se agitado e suarento.

– Vim lhe pedir um favor – disse.

– Qual?

Ramón chegou mais perto e respirou fundo. Sua silhueta se recortou contra a luz.

– Que o senhor me dê uma foto de Adela.

Ofuscado pelo sol das cinco da tarde, que cintilava atrás de Ramón, o velho negou com a cabeça.

– As que você viu são as únicas que eu tenho.

– Eu sei, mas eu não tenho nenhuma – protestou Ramón.

Natalio refletiu. Não queria se desfazer de nenhuma das oito fotografias que conservava de sua filha: eram tudo o que de mais vivo lhe restava dela.

– Não – decidiu, com determinação.

Clotilde foi até eles. Ergueu a mão. Entre seus dedos vinham os oito retratos, dispostos como cartas de baralho. Natalio virou-se para olhá-la com ar de reprovação, mas Clotilde disse:

– Eu lhe empresto uma.

Ramón as percorreu com o olhar: Adela aos três anos no colo de uma anciã, aos cinco junto com outras crianças, aos dez cumprimentando o padrinho, aos onze em sua primeira comunhão, aos onze diante dos portões de uma igreja junto de um padre e dos pais, também na primeira comunhão, aos catorze assomando à janela de um ônibus, aos quinze numa cerimônia escolar, e aos quinze sentada num banco de ferro, no dia do seu aniversário. Natalio lhe contara a história de cada retrato: onde fora tirado, junto de quem, a data, o motivo.

Clotilde abriu o leque.

– Escolha – disse a Ramón.

Ramón examinou-as de novo, da esquerda para a direita e da direita para a esquerda.

– Não quero nenhuma dessas – resolveu.

Clotilde ergueu os ombros.

– Qual, então? – perguntou, confusa. – Não temos outras.

Ainda encandeados pelo sol atrás de Ramón, Natalio e Clotilde não conseguiram vê-lo apontar a caixa que continuava sobre a mesa.

– Aquela – disse ele.

Clotilde passeou o olhar pelo aposento.

– Qual? – inquiriu.

– A que está grampeada no boletim.

Clotilde foi buscar a fotografia. Soltou-a com cuidado, para não a rasgar, e a entregou a Ramón, não sem antes recomendar:

– É emprestada.
– E com “v” de volta – completou Natalio.

Ramón retornou à sua casa. Cumprimentou a mãe com um “oi” e foi se jogar na cama. Mesmo extenuado, releu todas as cartas. Nenhuma trazia data, mas ele tentou arrumá-las em ordem cronológica. Com um lápis, também desenhou corações e, para que não restassem dúvidas sobre quem era o destinatário das cartas, encheu-as com uma infinidade de “Ramón e Adela”. Puxou a fotografia do bolso esquerdo da camisa que Pedro lhe emprestara. Admirou-a longamente. Por uns instantes, esqueceu que Adela já era um pedaço de carne inerte embaixo da terra. Esqueceu, porque a viu sentada junto dele na cama, com o cabelo recolhido para trás, acariciando-o com um sorriso. Esqueceu, porque já estava adormecido e sonhando.

Capítulo XI

Um palmo e três dedos

1

Justino Téllez despertou sobressaltado pelo trovejar de um dos seus próprios roncos.

– Quem está aí? – gritou.

Levantou-se e relanceou minuciosamente o quarto. Como não achou ninguém, imaginou que o ruído fora provocado por algum gato. Passou a mão pela cabeça e seus dedos ficaram umedecidos. Um calor untuoso inundava a casa: podia-se palpá-lo como azeite, no ar.

– Caralho – murmurou.

Tinha dormido vestido. Sempre o fazia e sempre se criticava: isso o deixava fedendo a humores de velho. Tirou a camisa e meteu uma esponja numa bacia com água. Refrescou os braços, o pescoço e as axilas. Olhou sua camiseta sem mangas, encardida pelo suor. Quis trocá-la, mas as outras duas que possuía estavam mais sujas ainda. Então decidiu ficar com a mesma: já ninguém observava se ele a trazia suja ou não.

Cuspiu uma baba com gosto de insônia e cerveja azeda. Fez um gargarejo com água e abriu a porta para arejar o aposento. Na rua, o sol reverberava, furioso. Justino consultou seu relógio.

"Quatro horas", pensou, "e a porra deste sol não acaba".

Dirigiu-se ao fogão e o acendeu. A chama bruxuleou debilmente, sinal de que o gás estava acabando. Ele teria de ir logo a Mante para trocar o bujão. Colocou no fogo uma frigideira com as sobras de torresmo de tatu que seu compadre Héctor Montanaro lhe dera.

Deixou-os fritar por vários minutos: gostava do resquício amargoso da carne quase queimada.

Comeu os torresmos devagar, para saboreá-los melhor. Chupou cada ossinho até deixá-lo liso. Abriu uma Coca-Cola sem gelar e bebeu-a de um trago. Lembrou-se das pegadas do assassino. Tinha de retornar ao local do crime para medi-las de novo. Depois iria procurar Rutilio Buenaventura para perguntar se ele sabia o número que o Cigano calçava.

Saiu de casa com uma sacola de restos de comida. Dois cachorros magros e sarnentos se aproximaram dele, fazendo festa e balançando a cauda. Justino lhes jogou a sacola e os cachorros se lançaram sobre os restos, rosnando um para o outro.

Tomou o caminho que conduzia ao rio. A tarde caía, mas não o calor, que parecia enraizado na paisagem. Gralhas crocitavam, instaladas sobre a copa de uma algarobeira. Do meio das urumbebas, lebres cinzentas saíam em disparada. Justino apanhou uma pedra para jogá-la na cabeça de alguma, antes que ela começasse a correr. Quando criança, era assim que as caçava. Deixava-as tontas com pedradas para depois aniquilá-las golpeando-lhes a nuca com a lateral da mão. Fazia tempo que não conseguia pegar uma dessa maneira. Isso não o impedia de tentar freqüentemente a proeza.

Chegou ao campo de sorgo. A calma da tarde o subjugou. As codornas inundavam a plantação com seu canto. Nos cachos de sementes, pombas-asa-branca comiam. Ele caminhou até o local exato onde Adela havia caído. Dos vestígios do crime só restavam uma mancha marrom de sangue seco e hastes de sorgo esmagadas pelo peso do cadáver. Parecia uma plantação como qualquer outra, mas já não o seria: Victor Vargas, que era quem a cultivava, havia jurado na noite anterior, diante de muitas testemunhas, que não voltaria a trabalhar aquela terra.

– Porque este lugar nunca vai perder o fedor de morte – explicou.

O terreno ficou condenado a ser engolido pelo mato: ninguém se propôs a arrendá-lo nem solicitou a concessão por abandono.

2

Justino inspecionou a área. As pegadas deixadas por Adela e pelo assassino ainda se desenhavam com clareza. Ele se agachou e as mediu: um palmo as dela, um palmo e três dedos as do criminoso. Para se assegurar, repetiu a operação. Por curiosidade, calculou também sua própria pegada: um palmo, três dedos e mais um pedacinho. O assassino devia calçar quarenta e um e meio, como ele.

Seguiu o rastro pelo campo arado para buscar de onde ele vinha. Às vezes perdia a pista, mas dava voltas em círculo até reencontrá-la. A terra solta junto às pegadas evidenciava que ambos haviam corrido e que Adela não se detivera até que a matassem. O rastro saía de um capinzal espesso e cercado. Justino não se aventurou a atravessá-lo. Àquela hora, as cascavéis perambulavam pelos pastos altos. Ele teve medo de ser atacado. Tinha visto reses sucumbirem à mordida de uma dessas víboras: mugiam incontroláveis, pateando furiosas, até desabarem sufocadas por espasmos.

Contornou o pasto e chegou à margem do rio. Calculou o último ponto onde deixara a pista e, traçando coordenadas imaginárias, vistoriou as ribeiras lodosas. Só achou rastros de veado e de texugo. Em sua busca, topou com uma estreita trilha de animais que penetrava no emaranhado matagal ao longo do rio. Meteu-se por ali, andando com dificuldade, agachando-se continuamente para não se arranhar nos galhos mais baixos. O caminho ficou intransitável. Quando, arrependido, ele quis retornar, era tarde demais: tinha percorrido mais de duzentos metros. A volta seria tão penosa quanto a ida. Decidiu continuar em frente. À sua passagem, verdadeiras massas de pernilongos se levantaram das folhas dos arbustos e o crivaram de picadas. Justino bateu as mãos, tentando esmagá-los, mas, embora matasse vários, não conseguiu atenuar o ataque. Dentro daquele túnel verde, o calor aumentou com violência. A umidade e a lama se grudaram em sua pele. O suor lhe ensopou a roupa e o corpo e, de tanto andar inclinado, ele começou a sentir dores nas costas. "Que merda eu estou fazendo aqui?", grunhiu, em voz alta.

Avançou mais duzentos metros quase engatinhando. A trilha desembocou numa enorme clareira escondida pelo arvoredo. Justino saiu do atalho e se sentou para descansar sobre o montículo de um formigueiro abandonado. Alguns bem-te-vis estridularam assustados por sua presença. Justino jogou-lhes um torrão para afugentá-los. Os pássaros voaram para o outro lado do rio e ali continuaram seu escândalo.

Embora exausto, Justino resolveu fazer um último esforço para continuar sua pesquisa: os pormenores do crime o intrigavam demais e ele queria descobri-los.

Não conhecia muito bem aquelas paragens, mas tudo indicava que o capinzal que ele evitara terminava naquela clareira. Só que, ali, era mais baixo e ralo: um pasto natural para o gado.

Levantou-se e começou a explorar o lugar. A terra, frouxa por causa de sua proximidade com o rio, ressaltava claramente qualquer marca, mas eram tantos os rastros de cavalos e vacas que Justino teve dificuldade para reencontrar as pegadas. Não o teria conseguido se, perto de uma palmeira, não descobrisse uma faixa de capim cortada a facão, em cujo centro se encontravam, dobradas junto a uma manta branca, uma saia preta e uma blusa azul.

3

Não a tinham despido com violência. Nenhuma das peças estava rasgada ou largada de qualquer jeito. Pelo contrário: encontravam-se cuidadosamente dobradas, sem uma mancha ou ruga. Embaixo da blusa estavam os sapatos, a calcinha e o sutiã. Ao redor, as pegadas de ambos. Justino as examinou, uma a uma. Provinham da margem do rio e denotavam um fato incontestável: assassino e vítima tinham chegados juntos ao local. Seus passos se delineavam claramente, lado a lado. Em alguns trechos, as marcas se detinham e ficavam frente a frente, como se o casal se tivesse beijado ou abraçado. De início, o rastro era formado por pés calçados: os dele, por botas de vaqueiro de tacão alto, os dela pelos sapatos que Justino acabava de descobrir. Depois percebia-se uma nudez morosa e uma breve caminhada até a manta transformada em leito de amor. O resto aparecia confusamente: pegadas do homem num vaivém, primeiro descalço e depois com as botas, e que terminavam por se afastar cinqüenta passos para oeste. Da manta brotavam as pegadas de Adela, numa corrida frenética. Atrás, as dele, percorrendo vertiginosamente os cinqüenta passos e arrancando lama a cada um. A perseguição continuava até o capinzal espesso, e do capinzal até a beira do campo de sorgo onde finalmente se consumara a feroz caçada.

Justino ficou perplexo. Não conseguia explicar os repentinos motivos do homicida para cravar uma lâmina em Adela, minutos depois de fazerem amor. Dócil e carinhosamente, Adela dispusera sua própria morte. A roupa dobrada com cuidado, a manta, o recanto escondido e clandestino, a nudez da madrugada, terminavam numa perseguição enlouquecida e numa punhalada certeira. O que havia desencadeado aquela correria delirante e fatal?

Justino recolheu a saia preta e a blusa azul. Cheiravam a perfume de rosas. Eram as provas de que Adela tinha um relacionamento com seu assassino e demonstravam que ela não se desnudara à força. Pelo menos, contradiziam a versão de Ranulfo Quirarte, que assegurava tê-la visto com a blusa rasgada.

Justino sacou sua navalha e dilacerou as peças até transformá-las em tiras. Fez o mesmo com a roupa íntima e a manta. Com uma folha de palmeira, apagou todas as suas próprias pegadas. Caminhou até o rio e lançou à corrente os pedaços de pano e os sapatos. As evidências destruídas flutuaram brevemente junto aos remoinhos de folhas e bagaços de cana, até afundarem água abaixo.

De nada lhe serviria apresentar as provas ao povoado: isso não mudaria nos outros a idéia de que o assassino era o Cigano. O único resultado seria que o verdadeiro criminoso iria tratar de sumir com elas, junto com quem as descobrira. Ele tampouco pensava em chegar com a novidade de que Adela era uma mocinha assanhada e febril, massacrada com meio orgasmo ainda untado no corpo. Não fazia sentido mortificar ainda mais os pais. Era melhor não complicar as coisas e esperar que o Cigano, se na verdade fosse inocente, nunca retornasse a Loma Grande e, se ele o fizesse, cruzar os dedos para que não o matassem.

Começou a escurecer. Para sair da clareira, Justino percorreu em sentido inverso o caminho pelo qual os amantes haviam chegado ao leito de seu último amplexo. Era uma senda oculta, difícil de seguir, protegida por moitas de urtiga e unha-de-gato, que entroncava com a estradinha que corria de Loma Grande ao Assentamento Pastores.

Em meio às sombras do anoitecer, Justino conseguiu se orientar e seguiu para o sul, em direção à casa de Rutilio Buenaventura.

4

Rutilio estava escutando uma fita de Los Tigres del Norte no *walkman* que o Cigano lhe dera. Essa e outra fita, com a gravação de uma entrevista fictícia de Caro Quintero na prisão, eram suas favoritas. Ele tinha mais de sessenta. Em cada visita, o Cigano lhe levava quatro ou cinco. Comprava-as nos postos de gasolina ou nas estalagens de caminhoneiros. Procurava escolhê-las com variedade: *cumbias*, mambos, *rock*, polcas, de programas humorísticos e até transmissões radiofônicas gravadas das melhores partidas de futebol do Correcaminos da Universidade Autônoma de Tamaulipas.

Escutando seu *walkman*, Rutilio preenchia suas intermináveis tardes de cego. Fazia oito anos que perdera a visão. Atribuía sua cegueira aos muitos meses em que trabalhara numa loja onde armazenavam pesticidas. O fato era que um tracoma o deixara às escuras. Tão severa tinha sido a infecção que o médico precisara lhe esvaziar as órbitas dos olhos e preenchê-las com duas toscas e baratas próteses de vidro.

Justino espiou por uma janela e viu o cego refestelado numa cadeira, com os fones de ouvido na cabeça e as pálpebras cerradas. Pelo aposento circulavam umas doze galinhas. Rutilio as abrigava dentro de casa, para que os texugos ou os guaxinins não as roubassem. Subsistia das galinhas e dos cinqüenta dólares que recebia todo mês de uma filha que trabalhava como frentista num dos auto-serviços Seven Eleven em Harlingen, Texas.

– Boa-tarde – gritou Justino da janela. Uma das galinhas cacarejou, assustada, e esvoaçou por cima do velho, mas Rutilio não respondeu. Exceto por um leve tamborilar dos seus dedos no ritmo da toada, ele parecia estar dormindo. "Boa-tarde", repetiu Justino, e o cego continuou imóvel. Então o administrador empurrou a porta e entrou. Suavemente, tocou Rutilio no ombro. O cego teve um sobressalto e abriu os olhos de gude.

– Quem é? – perguntou, tirando os fones de ouvido.

– Sou eu, Justino.

– Como vai? Que milagre – disse Rutilio. – Sente-se por aí.

Justino se instalou junto dele. Por costume, o cego acendia um candeeiro ao cair da tarde: era um ato de gentileza com possíveis visitantes, embora já quase ninguém fosse à sua casa. Justino não gostava de freqüentá-lo: aquele olhar artificial o perturbava. Mas simpatizava com ele e se entretinha com sua conversa.

– Morreu uma das minhas galinhas – contou Rutilio –, acho que foi de calor.

Em cada canto da casa abundavam as penas e as imundícies. Todo o lugar exalava um odor acre.

– Percebi que ela havia morrido quando meu quarto se encheu de moscas – disse ele, e continuou: – Agora, o problema é que as moscas não vão embora.

Justino olhou para o teto e viu um verdadeiro enxame. Quase sugeriu que Rutilio as pulverizasse com DDT, mas lembrou-se a tempo da fobia que ele tinha aos fumigantes.

– Use daquele papel em que elas grudam – aconselhou. O cego sorriu.

– Não, porque depois eu esqueço onde o coloquei e quem fica grudado sou eu.

Justino sorriu também.

– Não lhe ofereço um café porque não tenho – desculpou-se Rutilio –, mas na panela tem ovo mexido com palmito, se você quiser se servir.

– Não, obrigado, acabei de comer – respondeu Justino.

Uma a uma, as galinhas foram se acomodando nos ninhos que o cego lhes construíra embaixo da cama. O leve cacarejo das aves ajeitando as asas sossegou o ambiente.

O cego não parecia estar informado do crime. Justino não sabia como puxar o assunto do Cigano.

Rutilio adivinhou certa ansiedade no administrador comunal e virou o rosto para ele. Sua mirada vítrea cintilou à chama do candeeiro.

Justino estremeceu.

– Vão distribuir mais terras aos novos – comentou, nervoso, tentando esconder seu desconforto.

– Como vão fazer, se há mais novos do que lotes? – observou Rutilio, e ficou esperando em vão a resposta, porque Justino permaneceu em silêncio.

– Por que você veio aqui? – inquiriu Rutilio, decisivo.

– Vim lhe perguntar uma coisa – disse Justino, evitando aqueles olhos de espelho.

Rutilio impulsionou o corpo para trás.

– O que você quiser. Só lhe peço que não me envolva em confusão.

Justino teve vontade de interrogá-lo a fundo, de arrancar-lhe os enigmas do Cigano: o que este havia feito na madrugada do domingo, se mantinha alguma relação com Adela, o porquê de suas estadas tão demoradas em Loma Grande, as razões pelas quais partira do povoado tão às pressas. Perguntas que ele sintetizou numa só:

– Você sabe que número calça o Cigano?

Rutilio soltou uma gargalhada.

– Ele é meu amigo, e não meu namorado – disse. Riu um pouco mais e parou. – Não sei – acrescentou –, mas ele deixa aqui uma maleta com roupa, para não andar carregando... pode ser que guarde uns sapatos nela.

Com a vaguidão de sua cegueira, Rutilio apontou um canto do aposento.

– Procure por ali – disse.

Justino encontrou uma bolsa de lona no lugar indicado e começou a revistá-la, sentado na cama.

– E para que você quer saber? – perguntou Rutilio.

Justino não respondeu. Tinha nas mãos um par de tênis. A dúvida sobre a inocência ou a culpa do Cigano estava resolvida: os tênis mediam dois palmos de sua mão.

– Quarenta e quatro e meio – exclamou Justino.

Rutilio virou a cabeça para ele.

– Em que José andou se metendo? – perguntou, destacando com o "José" a familiaridade com a qual tratava o Cigano.

Justino suspirou, antes de responder.

– Numa bela embrulhada – disse, e voltou a guardar os tênis na bolsa.

– Mulheres? – perguntou o cego.

– Sim, mulheres – respondeu Justino, "e mentiras", pensou. Por que o Amizade inventara a cena de safanões e violência entre o Cigano e Adela? O que ele ganhava com isso? Seria ele o verdadeiro assassino? Lembrou-se de não ter visto marcas de pneus de bicicleta perto do local do crime. Por que Ranulfo assegurara ter estado por ali? Era para ocultar alguma coisa, ou uma simples e estúpida mentira?

Justino se levantou, disposto a se retirar. Tinha comprovado a inocência do Cigano. Nada faria para defendê-la: não ia botar as mãos no fogo por um forasteiro a quem mal conhecia.

"É problema dele, não meu", pensou.

Apenas para se livrar um pouco da culpa, disse a Rutilio, lá da porta:

– Se o Cigano aparecer, avise a ele para tomar cuidado... porque estão querendo matá-lo...

Rutilio quis perguntar quem, mas já não sentiu a presença de Justino na casa.

5

De novo, Rutilio ficou sozinho com suas galinhas e suas trevas. Colocou os fones de ouvido, mas não apertou o botão de *play*. Carecia de ânimo para ouvir música. Estava preocupado. Queria bem ao Cigano: era o único, incluídos seus próprios filhos, que lhe dava atenção, que escutava suas queixas de cego e suas desesperanças de velho. O único que suportava sua canhestra escuridão. Agora, alguém o espreitava para matá-lo. Rutilio sabia o motivo: Gabriela Bautista. Quantas vezes não o prevenira para que não se envolvesse com ela! "Você vai se dar mal", advertia-o, "o marido é um filho da puta sem escrúpulos e, se os pegar, mata os dois". O Cigano sorria, desafiador: suas cicatrizes eram a prova de que os maridos chifrudos pouco podiam contra ele. "Sim, mas o marido de Gabriela é diferente", insistia Rutilio, "quando você menos espera ele lhe rasga as tripas". O Cigano lhe agradecia os conselhos com uma palmadinha no ombro: "Não se preocupe, meu querido, que vaso ruim não quebra".

Estava claro que haviam surpreendido o Cigano em suas transas com a Bautista: ambos se arriscavam cada vez mais em seus encontros. No início, procuravam mostrar-se distantes em público. Buscavam lugares afastados, noites propícias. Ultimamente, porém, haviam descartado qualquer prudência e se procuravam descaradamente. Trocavam beijos furtivos na rua e se embolavam pelas madrugadas em locais próximos ao povoado. Inclusive, nos fins de semana em que Pedro desaparecia de Loma Grande para ir se embebedar, Rutilio tivera de sair discretamente de sua casa para emprestá-la como alcova noturna. Cansado de esperar durante horas que os amantes terminassem seus gemidos e temeroso de ser acusado como acobertador do caso e sair prejudicado, Rutilio pediu que eles levassem seus joguinhos para outro abrigo.

Gabriela e o Cigano não protestaram: o cego já fazia muito, guardando seu segredo.

Por fim, anunciava-se a sangrenta vingança de Pedro Salgado, tantas vezes prevista por Rutilio. Parecia-lhe inevitável que isso acontecesse: o Cigano havia jogado alto demais, apostando numa mulher casada. Em sua condição de homem enganado, Pedro estava com a razão, e não se podia censurá-lo por querer emboscar seu rival: matá-lo era um direito seu. Rutilio constatou que não tinha como defender o amigo: a única coisa que poderia fazer por ele seria tentar avisá-lo, deixá-lo em alerta. Mas como, com aquela cegueira toda? Como transmitir a notícia, se mal podia se movimentar no reduzido espaço de sua casa? Onde encontrar o Cigano? Em quem confiar, para que o localizasse e o advertisse? Não havia outra saída, a não ser esperar que o Cigano, com sua habilidade felina, mais uma vez se esquivasse da morte.

6

Justino Téllez mascou sua coragem e a cuspiu transformada em bílis. O Amizade havia enrolado todo mundo com sua mentira, e o engano ganhava uma velocidade tal que era impossível detê-lo. Que, aos olhos dos outros, o Cigano era o assassino de Adela já constituía um juízo inobjetável, para além de qualquer prova de inocência. Não havia outro remédio a não ser aceitá-lo. Ainda assim, Justino quis constatar um último detalhe.

Bateu à porta. Um molequinho seminu, sujo e suarento, veio abrir.

– Seu pai está? – perguntou Justino.

O menino deu meia-volta e, segundos depois, Ranulfo Quirarte, o Amizade, apareceu à porta.

– ’ Tarde – cumprimentou.

Justino ainda sentia o sabor da bílis, e gostaria muito de cuspi-la na cara do outro.

– ’ Tarde – respondeu.

– Entre – convidou Ranulfo.

– Não, obrigado, estou com pressa.

Ranulfo esmagou um mosquito que lhe picava a testa.

– O que você quer comigo?

Justino meditou sua resposta: não queria que o Amizade percebesse que ele havia desmascarado a mentira.

– Escute, Ranulfo, você diz que naquela noite viu o Cigano com a defunta, não?

Nervoso, Ranulfo engoliu em seco.

– Sim, pois eu já não lhe contei tudo?

Justino acenou de leve com a cabeça, como se dissesse “ah, sim, me lembro”, e Ranulfo acenou de volta, como se dissesse “ah, pois então, você se lembra”.

– Que roupa a moça estava usando? – inquiriu Justino.

Ranulfo gelou: não imaginara que lhe perguntariam isso. Teve de improvisar uma resposta.

– Não vi bem, estava muito escuro.

Justino ficou calado alguns segundos.

– Mas você não disse que a blusa dela estava rasgada? – interrogou.

De novo, Ranulfo calculou a resposta. Não podia titubear nem se contradizer.

– Sim, deve ter se descosturado com os safanões – afirmou.

– Ah, pois é – murmurou Justino.

– Para que tanta pergunta? – quis saber o Amizade.

O administrador comunal balançou a cabeça.

– Nada, só para saber.

Ranulfo indicou o interior da casa.

– Não quer mesmo entrar? Minha mulher está preparando carne-seca de veado.

Justino aspirou o aroma da carne sendo aferventada e aquilo lhe abriu o apetite.

– Não, obrigado – respondeu. – Mas, se você fizer o favor de me dar um pouco...

– Claro – disse o Amizade, entrando na casa.

Fingindo amarrar os cadarços dos sapatos, Justino se agachou e mediu as pegadas de Ranulfo. Não, ele também não era o assassino: um palmo e um dedo.

"Caralho, este canalha tem pé de menino", pensou. "Deve calçar trinta e oito e meio".

O Amizade voltou com a carne salgada dentro de um saco plástico e a entregou ao visitante.

– Obrigado – disse Justino, sopesando o volume –, é quase um quilo.

Ranulfo se manteve à porta, esperando que o outro se despedisse.

– A gente se vê – mastigou Justino. Já ia saindo quando escutou atrás de si:

– Eu juro que eram eles.

Justino se voltou: o Amizade não saíra do lugar.

– Sério, eu vi – repetiu Ranulfo, com tanta convicção no olhar que Justino ficou sem saber de que lado estava a verdade.

– Acredito – asseverou. E partiu, tentando imaginar o que realmente o Amizade tinha visto no domingo de madrugada.

Capítulo XII

Terça-feira

1

A terça-feira raiou sob o tédio do calor numa manhã insossa como tantas outras. A viúva Castaños acordou cedo, com os grunhidos irrascíveis dos leitões que esfregavam os focinhos contra a cerca do chiqueiro, reclamando comida. Oprimida pela história com o filho, ela se esquecera de alimentá-los durante dois dias. Saiu da casa, pegou a gamela com as sobras de comida que juntara ao longo da semana e lançou-as por cima das estacas. Os porcos se atracaram numa ruidosa batalha pelos restos. Devoraram tudo rapidamente e de novo grudaram os focinhos à cerca. À falta de pão dormido e cascas de batata, a viúva lhes jogou um pacote de biscoitos Maria.

– Agora, acabou – disse, sacudindo as mãos.

Não gostava de soltá-los. As outras pessoas, no povoado, tinham por costume deixá-los livres, para que se alimentassem por conta própria. A ela, porém, repugnava a possibilidade de que seus animais comessem carniça ou excremento: por ingerir costeletas de porco infestadas de cisticercos, sua prima Dolores tivera o intestino invadido por vermes.

O sol ainda não havia nascido e o dia já se anunciava abafado. A viúva botou o feijão para cozinhar e sentou-se para descascar uns dentes de alho. Pensou em Gelasio, seu filho mais velho. Não o via há mais de um ano. Ele conseguira o *green card* e residia no Kansas, trabalhando como tratorista. Gelasio era quem melhor podia aconselhar Ramón, para dissuadi-lo da loucura de arremeter contra o Cigano, esclarecer-lhe que bem poderia ser ele o morto na contenda. Mas Gelasio se encontrava a três mil quilômetros de distância, e para ela seria difícil, por mais que o quisesse, conter as intenções do filho caçula.

O feijão começou a ferver. A viúva jogou os alhos picados na panela. Sob o vapor da cocção, transpirou ainda mais. Pegou um pano úmido e enxugou o rosto. Saiu de perto do fogo e caminhou até o tabique que separava seu quarto do de Ramón. Afastou a cortina e contemplou o filho adormecido. Embora tivesse pavor do que poderia sobrevir, sentiu-se orgulhosa: Ramón havia respondido como um homem. Pelo menos, não seria refém dos seus temores, nem sofreria por agir como um cagão. A viúva conhecia essas aflições: Graciano Castaños, seu falecido marido, carregara pela vida inteira a reminiscência de uma covardia juvenil. Essa recordação lhe doía tanto que ele jamais contara a ninguém o sucedido. Limitava-se a dizer que daria dez anos de existência para voltar àquele instante de pesadelo, no qual sua indecisão o transformara num covarde. Embora só ele soubesse o que acontecera, morreu agoniado por esse antigo titubeio.

A viúva foi até o fogão e apagou o lume. Não suportava mais o vapor que enchia o aposento. Já lhe bastava ter de agüentar o sufoco do verão. Sentiu-se sozinha e triste. Sem marido, com cinco dos seus seis filhos espalhados pelo mundo e com o sexto capturado num desafio fatal. Para o cúmulo dos seus males, Raquel Rivera, sua melhor amiga, se mudara para Aguascalientes.

Quis acordar Ramón, sentá-lo ao seu lado e aplacar com ele sua irrefreável vontade de falar durante horas, ventilar sua monotonia, arejar sua existência encalorada.

Debruçou-se no peitoril da janela e viu passar o caminhão que recolhia os trabalhadores para levá-los às plantações de algodão do Rancho del Salado.

“Seis e meia”, pensou.

Pegou seu porta-moedas, limpou de novo o rosto molhado de suor e, em silêncio, saiu de casa para comprar leite com Prudencia Negrete.

2

Despertou extenuado por uma noite de visões. Várias vezes, sentira Adela respirando junto dele. Sobressaltado, abria os olhos e claramente a distinguia na escuridão: o cabelo penteado para trás, a testa descoberta, os olhos claros, o corpo longo e desnudo. Adela sorria. Sussurrava uma carícia. Os dois se abraçavam. Ramón apalpava a delicada pele da moça, seus seios aprazíveis, seu ventre esquivo, o arco do seu torso banhado em sangue, a ferida porejante e viscosa. Aterrorizado, encolhia-se num canto da cama e só voltava a dormir depois de comprovar que o espectro de Adela desaparecera de entre os lençóis.

Endireitou-se e escutou ao longe o caminhão que transportava os trabalhadores rumo ao Salado.

– Vai dar sete horas – murmurou, contrariado. Acordara tarde. Geralmente, abria a venda às cinco da manhã. A essa hora, ainda na penumbra, chegavam os trabalhadores a fim de comprar refrigerantes, torresmo, batatinhas, *donuts*, e conversar um pouquinho antes de seguirem para o trabalho. O movimento na venda só recomeçava em torno das oito, quando apareciam algumas mulheres para fazer as compras de casa.

Sentou-se na beira do colchão. Embora esmagado por tantos pesadelos, descobriu algo que o unia ainda mais a Adela: a intensa nostalgia pelos momentos que os dois não tinham vivido juntos. Levantou-se e se olhou no espelho: ainda vestia a camisa emprestada por Pedro. Precisava devolvê-la o mais rápido possível. Não queria que seu primo pensasse que ele já tomara posse dela. O mais provável era que Pedro estivesse seguindo para o Salado junto com os outros colhedores de algodão. Não importava, ele podia entregar a camisa a Gabriela.

Sentiu-se moído, como se tivesse cortado cana três dias seguidos. Seus músculos latejavam e as pernas lhe doíam. Substituiu a camisa emprestada por uma regata azul com um buraco nas costas. Foi até a cozinha. Jogou três colheradas de sal num copo com água, enxaguou a boca e cuspiu o bochecho no chão de terra. Um dentista ambulante lhe recomendara essa rotina diária como a melhor maneira de eliminar o hálito de rato morto. Olhou o quarto da mãe e viu que ela não estava. Decidiu ir logo devolver a camisa, a fim de voltar o quanto antes para atender na venda.

3

Bateu três vezes à porta e ninguém respondeu. Na quarta, apareceu Gabriela Bautista, ainda com as dobras do lençol marcadas nas bochechas.

– Bom-dia – disse Ramón.

Gabriela se surpreendeu ao vê-lo. Ramón era a pessoa que se comprometera a matar o homem que ela amava, e ela não conseguia entender o que ele fazia tão cedo em sua casa.

– O que foi? – perguntou, arredia, na defensiva.

Ramón estendeu o braço e lhe entregou a camisa.

– Pedro me emprestou no domingo e eu vim devolver.

Gabriela a recebeu de má vontade. De algum modo, Ramón era seu inimigo. Tentou avaliar as verdadeiras intenções dele.

– Pedro não está – disse, cortante.

– Eu sei.

– Então, o que mais você quer? Estou ocupada.

Ramón achou inusitado o mau humor de Gabriela. Ela não costumava ser grosseira nem azeda.

– Nada, não quero nada – respondeu, pensando que Gabriela estava agressiva porque acabava de se levantar. Não quis importuná-la mais. Despediu-se com um "dê um abraço no meu primo" e foi embora, com pressa.

– Puta merda – resmungou Gabriela, furiosa, batendo a porta com força. Estava nervosa, irritada. A visita de Ramón a deixara assustada. Respirou fundo para se acalmar, mas não conseguiu se livrar da tremedeira que sentia por dentro. O desejo, o amor, a paixão, o prazer, a culpa se fundiram num sentimento dominante: o horror. Horror às circunstâncias absurdas, a uma vingança torpe e sinistra tramada com base numa confusão. Horror à sua clandestinidade de amante, à sua monótona condição de esposa. Horror ao Cigano, a Pedro, a Ramón. Horror, sobretudo, a si mesma. Isso era o que mais a aborrecia: seu medo de se expor para salvar da morte o homem a quem amava. Não se tratava apenas de salvá-lo de um rapazinho cujas mãos seguramente tremeriam na hora de assassiná-lo, mas de um povoado inteiro, que, insaciável, urdia o crime equivocado. Devia defendê-lo da mesma gente que iria apedrejá-la se ela se atrevesse a dizer a verdade. Então, era necessário calar. Calar para sobreviver, mas sobreviver pela metade, corroída por sua fraqueza e sua medíocre indecisão.

Pegou um copo d'água e o esvaziou sobre a cabeça. Fazia isso todas as manhãs de verão. Era um remédio ensinado por sua avó para abrandar o calor. A água deslizou entre seus cabelos emaranhados, refrescando-lhe o crânio e a nuca. Lembrou-se da avó sentada numa cadeira de balanço, com as pernas mordiscadas por uma papa de tumores. Desalentada, a mulher se lamentava das muitas coisas que não pudera viver e das quais, segundo ela, já não havia como se arrepender.

– Fiquei por aqui, minha filha, me assando neste calor do caralho – dizia a velha a Gabriela –, porque nunca imaginei realmente que a gente morre um dia. Se eu tivesse sabido antes, teria ido embora há muito tempo. Mas já estou fodida e não posso mais me largar para lugar nenhum. O pior de tudo é que já não encontro a porra da alavanca para dar marcha à ré.

Então a anciã ria, repetindo "a alavanca, a porra da alavanca", zombando de suas pernas atrofiadas, de seus tumores purulentos, de sua vida sufocada em pleno sol, das dolorosas dentadas da morte. A morte. Na véspera do seu último dia, a avó murmurou ao ouvido da neta: "eu não quero morrer". Foi enterrada na tarde seguinte. Gabriela prometeu a si mesma não repetir a anódina existência de sua avó: faria com sua vida o que quisesse. Não foi assim: tanto quanto ela, ficou enquistada na poeira, buscando inutilmente a alavanca que lhe permitisse fazer o tempo recuar.

Derramou de novo um copo d'água na cabeça, e outro, e mais outro, até ficar completamente encharcada. Fechou as cortinas, despiu-se, meteu-se na cama e ligou o rádio. Ficou escutando música tropical por algum tempo, até que ouviu o ruído do motor de uma caminhonete que se aproximava do povoado pelo caminho proveniente do açude.

"É ele", pensou. "Tem de ser ele."

Enfiou às pressas um vestido e correu para a porta. Assim que o visse, correria para interceptá-lo, subiria à caminhonete e lhe pediria para fugirem juntos. Assim, salvaria a vida dele e, ao mesmo tempo, a sua própria.

Durante alguns segundos manteve-se expectante, com a garganta seca e os olhos cravados na estrada. Desiludiu-se ao constatar que quem chegava não era o Cigano, mas duas caminhonetes azul-chumbo que avançavam velozes, levantando poeira.

4

– As vacas estão em greve – disse Prudencia Negrete –, porque hoje quase não deram leite.

Astrid Monge e Anita Novoa deram um sorriso forçado ao escutar a brincadeira. A velha Negrete era temível, uma mulher de rompantes, muito chegada a criar caso por minúcias. Mas, nessa manhã, acordara de bom humor.

– Me venda pelo menos cinco litros – solicitou Astrid, cuja mãe usava o leite para fazer queijos de coalho que ela depois vendia aos evangélicos do Assentamento Pastores.

– Não tenho mais, o carro da Nestlé levou o pouco que eu tinha – disse Prudencia, e era verdade: o comprador da Nestlé tinha chegado bem cedo para adquirir os doze litros que a mulher ordenhara de suas cinco vacas.

Discretamente, Anita mostrou a Astrid um tambor que ressumava leite.

– E esse aí? – inquiriu Astrid.

Prudencia se voltou para olhar o recipiente e sorriu.

– Não serve, é leite talhado de uma rês infectada. Se quiser, eu lhe dou de presente – disse. Depois, com seu andar travado, adiantou-se uns passos e tirou um pote de vidro de uma prateleira.

– Tenho este pouquinho de nata, quer?

Astrid negou com a cabeça, mas Anita pegou o pote.

– Eu levo – disse. – Quanto é?

Prudencia fez uma soma com os dedos da mão esquerda.

– Me dê três mil pesos – respondeu, e continuou dirigindo-se a Astrid: – Você sabe que eu posso lhe reservar o leite, é só pagar adiantado.

– Bom, guarde dez litros para mim – pediu Astrid, estendendo a ela uma nota de vinte mil pesos.

– Deixe ver se eu tenho troco – disse Prudencia, entrando em casa para verificar.

Anita e Astrid escutaram um "bom-dia" e, ao se voltarem, viram chegar a viúva Castaños, que vinha comprar leite. Parecia aflita.

– E Prudencia? – perguntou.

– Não demora – respondeu Anita.

Fez-se um silêncio. As três queriam fugir do tema inevitável: a viúva, pela angústia que lhe provocava; Astrid, para não dar mostras do muito que sabia sobre o assunto; e Anita, para não se meter no que não era da sua conta.

Prudencia saiu com a nota de vinte mil na mão.

– Não tenho trocado – disse, e se deteve perplexa diante da viúva, como se tivesse visto uma aparição.

– Bom-dia – cumprimentou a viúva.

– Como vai, Pancha? – respondeu Prudencia, sem saber o que dizer.

– Você tem leite?

– Não, acabou.

A viúva baixou a vista e ficou pensando. Parecia triste demais por não haver leite. Astrid teve vontade de lhe revelar a verdade. Não o fez: decidiu deixá-la em paz.

Do ponto onde estava, Prudencia distinguiu os dois veículos da polícia rural que passavam precipitadamente pela estrada.

– Os rurais vêm aí – disse. A viúva se voltou e viu quando as caminhonetes estacionavam em frente à casa de Justino Téllez.

5

Justino mal ouviu desligarem os motores e Carmelo Lozano já o espiava pela janela.

– Como vai, animal? – gritou o capitão.

Indolente, Justino se reclinou na cadeira na qual estava sentado, tomando o desjejum.

– Vamos indo, sua besta – respondeu de mau humor, cansado daquelas fórmulas rotineiras de cumprimento entre ele e Lozano.

– Não vai me convidar? – perguntou Carmelo.

Justino estendeu os braços.

– Que jeito? – retrucou, sem olhá-lo.

O capitão levantou uma de suas longas pernas e, com um salto, entrou na casa pela janela.

– A porta é para isso – reclamou Justino.

Carmelo sorriu, zombeteiro.

– Eu sei, só que, entrando assim, mato a saudade das noites quentes em que comia sua irmã.

Como Justino não tinha irmãs, não deu importância à brincadeira sem graça do policial. Carmelo puxou uma cadeira e se sentou diante da mesa.

– O que você vai me dar para comer?

Justino não respondeu: limitou-se a destampar uma panela que continha três acarás fritos.

– Estão ótimos para um *taco* – disse Carmelo –, me passe uma tortilha, compadre.

Com um leve empurrão, Justino colocou a travessa diante do policial. Carmelo esmiuçou um dos peixes, retirando cuidadosamente as espinhas. Colocou os pedaços sobre uma tortilha, espremeu por cima um limão, pulverizou-a com sal grosso e comeu-a em quatro mordidas.

Parcimonioso, o capitão preparou para si mais três tacos, pediu a Justino duas bananas – que devorou na mesma hora – e, ao terminar, perguntou se ele sabia a que horas transmitiriam de Tampico o jogo de beisebol.

– Às oito da noite – respondeu Justino, só para se ver livre.

Carmelo o escutou com atenção, repetiu "às oito da noite", levantou-se da mesa e agradeceu o desjejum.

– De nada – respondeu Justino, sabendo que Carmelo não demoraria a bombardeá-lo com suas clarividências policiais.

Com um pedaço de papel higiênico, o comandante limpou os resíduos de azeite e peixe em sua boca. Arregaçou as mangas da camisa, empinou a cabeça e suspirou.

– Compadre, nós dois sabemos – começou ele – que você sabe muito sobre o que aconteceu aqui no domingo, está me entendendo?

– Não entendi picas – replicou Justino, irritado.

Carmelo levou as mãos à cabeça.

– Então, vou me explicar melhor – disse. Tirou as mãos da cabeça, desenhou uma elipse no ar e prosseguiu: – Falando claramente, compadre: se eu vier a saber que mataram alguém no povoado por causa da moça assassinada, o primeiro que eu venho procurar é você... vacile um pouquinho que seja, e vai preso.

Justino conhecia de sobra o estilo de ameaça fingida e provocadora de Carmelo, mas fez o jogo dele.

– Ora, meta-se com quem apronta, por que eu?

Lozano esboçou um sorriso.

– Porque você está gordo e velho, mais fácil de agarrar. Os outros correm rápido. Além disso, você não diz que é a autoridade aqui?

– E daí?

– Então, é o responsável.

– Por isso mesmo – argumentou Justino –, deixe que eu resolva as coisas do meu jeito. Volte sossegado para Mante e depois eu lhe informo como ficou a situação.

Carmelo pegou Justino pelo braço e fingiu lhe dar um soco no fígado. Justino fingiu se esquivar.

– Você não muda, compadre, continua o mesmo teimoso de sempre – disse o capitão, e acrescentou: – Tudo bem, vou deixá-lo em paz.

Carmelo abriu a porta para sair e uma lufada de calor bateu-lhe no rosto. Com a mão aberta, protegeu o rosto da luz incandescente.

– Caralho, que calor brabo! Dá para assar frango – disse.

Justino caminhou até a porta e levantou os olhos: nem uma só nuvem no céu. Ele baixou o olhar e viu, prostrados na traseira das caminhonetes, os oito homens de Carmelo, que se cozinhavam esperando a saída do chefe. Justino os observou com certa pena.

– Quem está assando são os seus rapazes – disse, irônico.

Indiferente, Carmelo respondeu:

– É o trabalho deles... e além disso estavam precisando tomar sol.

Virou-se para seus subordinados e, acenando com o indicador, chamou um. Como uma mola, o homem saltou e perfilou-se diante de Carmelo.

– Às ordens, capitão.

Carmelo esquadrinhou o policial dos pés à cabeça.

– Gosta de beisebol, sargento Garcés?

– Sim, senhor.

Carmelo estalou a língua para chamar a atenção de Justino.

– Ouviu? Ele gosta de beisebol.

Justino assentiu com enfado.

– E torce por qual time? – continuou perguntando Carmelo.

– Pelos Alijadores de Tampico.

– Os jogadores são bons?

– Sim, senhor.

– E quando não pode assistir às partidas, o senhor faz o que, sargento?

– Acompanho pelo rádio.

– Ah, ótimo. Eles jogam hoje?

– Sim, senhor.

– A que horas?

– Às seis da tarde.

– Às seis? Não é às oito?

– Não, senhor, às seis.

– Tem certeza?

– Sim, senhor.

– Obrigado, sargento, pode ir.

O policial se afastou e subiu de novo na caminhonete. Carmelo repreendeu Justino:

– Ou você é mentiroso ou vive na lua.

– Ou não gosto de beisebol – corrigiu Justino.

– Então, por que inventa que vão transmitir o jogo às oito?

Justino deu de ombros.

– E quer que eu confie em você, desse jeito? – inquiriu zombeteiro o capitão.

– Isto mesmo.

Carmelo passou um braço pelos ombros de Justino e o impeliu para que este o acompanhasse até o veículo.

– Quando chegar o frio, vamos caçar patos, topa?

– Sim – disse Justino. Em outras ocasiões, tinham feito isso juntos. A munição e o uso das escopetas de cano curto corriam por conta da polícia rural.

Carmelo abriu a porta da cabine, baixou o vidro da janela e se acomodou em seu assento.

– A gente se vê, compadre – disse –, e não deixe acontecer uma carnificina.

O sargento Garcés desceu da carroceria e entrou na cabine pela outra porta. Os outros policiais se distribuíram nas caminhonetes.

– Quando você decidir, me conte quem matou a moça. Enquanto isso, fique de olho em Ramón. Não vá ele se alvoroçar e querer vingança.

O capitão partiu com seus homens. Justino não teve dúvidas: Carmelo Lozano farejava sangue de longe.

CAPÍTULO XIII

Uma Derringer Davis de dois canos, calibre 25

1

No domingo à noite, comprou a remessa de vinte gravadores portáteis que havia negociado com Lorenzo Márquez, o contrabandista, e na tarde de segunda-feira já vendera dezoito a duzentos mil pesos, depois de pagá-los a setenta e cinco. Os compradores eram de um grupo de operadores de colheitadeira que, na manhã dessa segunda, acabavam de receber sua comissão por terem ceifado mais de novecentos hectares de sorgo. O Cigano teve a sorte de encontrá-los, meio bêbados e cheios de dinheiro, no cruzamento da estrada com a ferrovia. Aguardavam, numa estalagem das proximidades, o conserto da locomotiva do trem que transportava suas gigantescas máquinas. Para o Cigano, foi uma venda relativamente fácil. Bastou um deles comprar um, e os outros, para não ficarem por baixo diante dos demais, pediram cada um o seu.

Nessa noite, ele dormiu com os trabalhadores, num vagão. Acordou com o tranco da locomotiva, que reiniciava sua marcha. Desceu rapidamente e contemplou o trem que se afastava na direção sul, para Abasolo. Amanhecia. O Cigano se encaminhou até a estalagem, que abria bem cedo. Pediu um café com leite e uns ovos mexidos com carne-seca desfiada. Em um só dia, ganhara mais de dois milhões de pesos, quantia suficiente para viver tranqüilo até o fim do mês. Decidiu não trabalhar, pelo menos durante uma semana.

A garçonete trouxe o desjejum. Era uma jovem magra e agradável, de feições finas e nádegas redondas. Se não estivesse ocupado, pensando no que faria nos próximos dias, ele tentaria seduzi-la. Nem lhe prestou atenção.

Com tanto dinheiro na mão, seus planos mudavam. Tinha pensado em percorrer as aldeias vizinhas a Casas e inclusive visitar Las Menonas, onde alguns moradores modernizados gostavam de comprar suas geringonças eletrônicas e uma ou outra bijuteria. Depois, pretendia descer até Ciudad Mante, parando para comerciar nos vilarejos situados à beira da estrada, para dali voltar a Loma Grande, duas ou três semanas depois. Agora, o tempo lhe sobrava e ele não sabia o que fazer, nem aonde ir.

Pediu uns bolinhos para mergulhar no café. A moça acenou que não os tinha. Ele teve de se conformar com uns amanteigados Wonder. Os biscoitos lhe pareceram saborosos, mas se desmancharam facilmente quando umedecidos dentro da xícara. Acabou comendo-os às colheradas.

Empurrou para o lado a xícara vazia, apoiou os cotovelos sobre a mesa e pensou na rota que seguiria. Podia continuar rumo a Soto la Marina para pescar por uns dias na Laguna Madre, ou ir ver algum rodeio ou corrida de touros em Cadereyta, ou ainda seguir diretamente até Tampico, onde encontraria familiares e amigos, além de uma ou outra puta num bordel da juventude. Depois de considerar várias opções, decidiu dirigir-se a Los Aztecas.

Entre os povoados circunvizinhos ao açude de Las Ánimas, Los Aztecas era o mais desenvolvido. Tinha cerca de quatrocentos habitantes e era o único a contar com eletricidade, construções de alvenaria, cabine telefônica, três ruas pavimentadas e posto de gasolina. O Cigano tinha escolhido Los Aztecas por dois motivos fundamentais: primeiro, porque ali aconteciam esporádicas mas substanciosas transações na compra e venda de algodão, nas quais podia investir seu dinheiro; segundo, e decisivo, por ser um lugar que distava menos de vinte quilômetros de Loma Grande.

Pediu a conta, pagou o desjejum e comprou de um garotinho um pasquim editado em San Fernando. As chamadas destacavam a prisão de um grupo de homossexuais satânicos em Nuevo Laredo e os excessos e gastanças de um funcionário público local. O Cigano folheou as quatro páginas impressas, amassou-as numa bola e jogou-as no chão.

"O mesmo de sempre", pensou.

O menino recolheu o pasquim, alisou as páginas e colocou-o junto com os outros, para vendê-lo de novo.

2

Às dez da manhã, já se haviam instalado na venda de Ramón. Sentados em cadeiras de metal pintadas com as cores e o logotipo da Pepsi-Cola, Torcuato Garduño, Pascual Ortega e Macedonio Macedo bebiam cerveja, ávidos por conhecer o desdobramento dos fatos, por indagar em todos os detalhes o modo pelo qual Ramón pretendia eliminar seu inimigo. Depois da habitual ronda de trivialidades, Pascual decidiu perguntar a Ramón:

– Já pensou em como vai matá-lo?

– Não – respondeu Ramón.

Torcuato se levantou da cadeira e se plantou junto dele.

– Pois então, pense – disse –, porque o Cigano não é fácil de se liquidar.

Ainda faltavam algumas semanas para que o Cigano retornasse a Loma Grande, se é que pretendia fazê-lo. Ele tinha por costume apresentar-se no povoado na primeira sexta-feira de cada mês. Sobrava tempo para planejar o crime, e foi o que disse Macedonio.

– E se ele aparecer agora, de repente? – inquiriu Torcuato. – Vamos deixar que fique sabendo e se mande daqui vivinho da silva? Não, senhor, isto tem de ser decidido e é já. Ramón precisa estar preparado quando aquele filho da puta vier.

Os outros lhe deram razão, e entre os quatro tramaram incontáveis procedimentos para executar o assassinato. Foram descartando um a um: tocaiá-lo nos caminhos era difícil, não só porque o Cigano andava sempre vigilante, mas também porque, para fazer isso, era necessária uma escopeta, e em Loma Grande só duas pessoas tinham essa arma: Omar Carrilho, dono de uma que às vezes funcionava e às vezes não, e cujo uso era arriscado num empreendimento de tal magnitude, e Ranulfo Quirarte, o Amizade, que não emprestava a ninguém sua retrocarga calibre 16. Atacá-lo com facão tampouco era conveniente: o Cigano já tivera as costas retalhadas e não permitia a ninguém armado de facão que se aproximasse dele a menos de três metros de distância.

Depois de rejeitar várias alternativas, os quatro determinaram que a mais viável era que Ramón despachasse o Cigano com pistola, por ser esta uma arma pequena e facilmente manejável. Restava, porém, um ponto a resolver: o Exército acabava de levar a cabo uma inesperada e eficaz campanha de "despistolização" em toda a zona. Somente uns poucos tinham podido esconder as suas e evitar o confisco. Entre estes, o único confiável era Juan Prieto, o melhor amigo de Ramón. Faltava saber se ele dispunha de munição e, sobretudo, se queria emprestá-la.

3

Juan Prieto tinha a mesma idade de Ramón, mas parecia mais velho. Aos quinze, havia emigrado clandestinamente e tivera a sorte de chegar até Portland, Oregon, cidade onde eram quase inexistentes as detenções de imigrantes ilegais. Conseguiu emprego de lavador de pratos num restaurante de comida chinesa. Quatro meses depois, foi trabalhar como faxineiro dos toaletes de uma companhia de seguros, e dali voltou a ser lavador de pratos num bordel que ostentava o nome de Susie's Bar e era administrado por uma mulher imensa, que mudava a cor do cabelo a cada semana. Nesse lugar, Juan Prieto só durou três meses, porque Susan Blackwell, a gorda, o denunciou às autoridades da imigração para não ter de lhe pagar o salário atrasado.

Juan relembrava sua captura como um pesadelo: quatro homens, três em trajes civis e um com uniforme desconhecido, entraram no bar e, ao vê-lo, pularam em cima dele. De imediato, Juan percebeu do que se tratava e tentou fugir saltando por entre as mesas. Um freguês lhe deu uma rasteira e Juan caiu de bruços. No chão, foi espancado a cassetete pelo homem uniformizado. Juan procurou proteger a cabeça com os braços, mas não pôde evitar que o escalavrassem, que lhe fraturassem uma costela e lhe estilhaçassem o osso do cotovelo.

Algemaram suas mãos, amarraram-lhe os pés, amordaçaram-no e o jogaram no porta-malas de um automóvel. Assim o levaram, numa viagem que durou horas, até uma povoação que ele não reconheceu. Ali fizeram-no sair para entregá-lo a outros homens com outros uniformes. Embarcaram-no em um camburão – livre das cordas nos pés e da mordaça, mas ainda algemado – e o conduziram a um edifício em San Francisco.

Dentro de um escritório com paredes de vidro, um tradutor o fez saber que ele estava detido por entrada ilegal no país, resistência à prisão, desacato à autoridade e roubo. Informaram-lhe que o promotor retiraria as acusações se ele assinasse uns papéis nos quais se comprometia a nunca mais retornar aos Estados Unidos. Juan assinou, tiraram suas impressões digitais, anotaram seus dados e fizeram três fotos dele para a ficha policial. Cinco dias depois, deportaram-no em outro camburão para Tijuana.

Em Tijuana, outros clandestinos lhe revelaram que sua deportação-relâmpago era típica das delações de patrões abusivos. Nesses casos, eram freqüentes as falsas denúncias de roubo. Indignado com a tramóia, Juan buscou um jeito de voltar a Portland para ir à forra com a gorda e, de passagem, recolher seus pertences na pensão onde se hospedara.

Cruzou de novo para o lado americano, escondido na mercadoria de um *trailer*. Em San Diego, conseguiu dinheiro revistando os bolsos e roubando o relógio de um marinheiro português que ele encontrou caído na calçada, completamente bêbado. Com o que obteve, conseguiu pagar uma passagem de ônibus Greyhound até Sacramento. Dali a Portland, demorou dois meses para chegar.

Em Portland, pôde recuperar todas as suas posses, inclusive os oitocentos dólares que havia economizado, escondendo-os entre as costuras do forro de uma calça, amavelmente devolvida pelo encarregado da pensão, um negro velho e alcoólatra cujas recordações de glória remontavam à época em que havia sido baixista da primeira banda de B. B. King.

Na mesma tarde de sua chegada, Juan se dedicou a espreitar a saída do bar de Susan Blackwell. Habitualmente, a mulher deixava o estabelecimento às quatro da manhã, depois de trancar tudo e fechar o caixa. Nessa madrugada, não mudou seu horário. Ia entrando no seu automóvel quando Juan a alcançou com uma pancada de pá na cabeça, à qual se seguiram muitas outras.

A gorda ficou desabada no calçamento, o cabelo verde misturado com sangue. Juan, que a acreditava morta, pegou-lhe a bolsa e correu espavorido pelas ruas da cidade.

Regressou ao México cheio de medo, arrependido da violência com que agira. No caminho, comprou uma pistolinha que lhe ofereceram num terminal de ônibus. Era uma Derringer Davis calibre 25 de dois canos, pela qual pagou cinqüenta dólares. Com fita adesiva, pregou-a dentro do forro do chapéu, disposto a usá-la contra o primeiro policial que tentasse prendê-lo. Não houve necessidade: mudando várias vezes de rota, chegou tranqüilamente à fronteira de Eagle Pass com Piedras Negras, onde atravessou o rio a bordo da câmara de ar de um pneu de trator.

Voltou a Loma Grande um ano depois de haver partido. Não ficou vivendo no povoado por causa do permanente temor de que algum dia aparecesse uma patrulha americana para detê-lo. Construiu uma choça para morar junto às margens do açude de Las Ánimas, onde cuidava das lanchas e dos equipamentos de pesca de Lucio e Pedro Estrada.

4

Estacionou a caminhonete junto à bomba de gasolina e entregou ao frentista a chave do tanque.

– Ponha quarenta mil da Nova – pediu. Desceu da picape e dirigiu-se ao quiosque situado num canto do posto. Comprou uma lata de cerveja Modelo e encostou-se no *freezer* para tomá-la. Estava cansado. O percurso até Los Aztecas, sob o calor do meio-dia e com a estrada invadida por *trailers*, tinha sido fatigante. Sorveu a cerveja, deleitando-se com o borbulhar da espuma em sua garganta. O frentista lhe acenou que terminara de abastecer. O Cigano bebeu o resto, pagou e voltou para a caminhonete.

Teve vontade de tomar um banho de chuveiro e dormir uma sesta. Conhecia no povoado uma hospedaria, a Pousada Los

Albatros, na qual se alojava com certa freqüência e onde, por trinta e cinco mil pesos, podia dispor de um quarto com cama grande, banheiro privativo e ventilador de pé, com direito a desjejum e jantar. O lugar era administrado pela própria dona, a "Simpatia" Fernández, uma mulher atenciosa e jovial, ajudada por Margarita, sua filha adolescente, uma moça risonha e cheia de vida. O Cigano gostava de se hospedar em Los Albatros, não só pelo bom serviço, mas também porque as duas mulheres eram boas de conversa e tinham sempre informações recentes, atualizadas que eram pelos clientes que pernoitavam ali. Imaginou que, através delas, podia se inteirar de algum acontecimento anômalo em Loma Grande, saber se ele e Gabriela tinham sido identificados pela pessoa que os iluminara no domingo de madrugada e se disso havia derivado alguma conseqüência.

A pousada funcionava num casarão de um só piso, com seis quartos dispostos ao redor de uma sala comum. O refeitório e a cozinha ficavam separados do conjunto, numa construção à parte. Essa distribuição fora projetada pela Simpatia Fernández junto com sua antiga sócia, Silvia Espinosa, que havia abandonado o negócio depois de se casar com um agente de viagens espanhol. Graças à amizade com a Simpatia, o Cigano pôde escolher o quarto de sua predileção, o do meio, por estar voltado para o norte e ser o mais fresco de todos.

Apesar do mormaço insuportável da tarde, ele tomou uma chuveirada com água bem quente.

"Calor com calor se mata", pensou.

Saiu do banheiro com uma toalha amarrada em torno da cintura. Abriu a janela e correu a tela contra mosquitos. Uma barata apareceu detrás da cortina e tentou se esconder embaixo da escrivaninha. O Cigano a impediu, esmagando-a com o pé descalço. A barata estralejou sob o peso. O Cigano se sentou na beira da cama e limpou o pé. Tirou a toalha, estendeu-a sobre o travesseiro para não o ensopar com o cabelo ainda molhado, deitou-se e adormeceu.

Acordou e consultou seu relógio: sete e quinze. Na pousada, o jantar era servido rigorosamente às sete e meia. Vestiu-se às pressas. Margarita lhe adiantara o cardápio da noite: sopa de pitu, arroz à mexicana e língua ao molho de tomate, e ele não queria perdê-lo.

Quando entrou no refeitório, quase todos os outros hóspedes já estavam sentados à mesa. O Cigano conhecia alguns: Carlos Gutiérrez, um engenheiro hidráulico encarregado de supervisionar os sistemas de irrigação da zona, Felipe Fierro, engenheiro civil, que dirigia as obras de recuperação da camada asfáltica da estrada entre El Abra e Los Aztecas, e Javier Belmont, um dentista que se aposentara para se dedicar ao negócio do algodão. Os outros comensais, um casal de anciãos e uma mulher rechonchuda e olheirenta, ele nunca havia visto.

Terminado o jantar, à sobremesa ficaram apenas Margarita, a Simpatia, Felipe Fierro e o Cigano. Ansioso, este perguntou à Simpatia pelas novidades. A mulher apoiou os cotovelos na toalha e – às vezes corrigida pela filha, que lavava a louça na cozinha – deu conta das notícias mais importantes: que em Nuevo Morelos tinham descoberto outra plantação de maconha, que os arrozais pertencentes ao sindicato dos petroleiros tinham sido vendidos a um deputado, que um assentado de Plan de Ayala ganhara dez milhões de pesos na promoção das tampinhas da Pepsi-Cola, que em González haviam assaltado uns turistas, que o governador respondera à carta recebida de um camponês do Assentamento Niños Héroes e que as reses do Rancho de la Paloma estavam infestadas de bicheira. Ao ver que nada se mencionava quanto ao assunto do seu interesse, o Cigano perguntou:

– E de Loma Grande, souberam alguma coisa?

A Simpatia recapitulou uns segundos, fez uma espécie de bico e negou com a cabeça.

– Que eu me lembre, não.

Margarita saiu da cozinha enxugando um prato e se encostou à moldura da porta.

– Em Loma Grande – disse, escandindo as palavras –, me parece que no domingo mataram uma moça.

O Cigano sentiu que um buraco se abria em seus pulmões. Tentou controlar o nervosismo e, com voz pausada, inquiriu:

– Como é que você sabe?

– Dulcineo Sosa me contou hoje de manhã, quando eu fui comprar os pitus no mercado.

– E lhe disseram o nome da morta? – perguntou o Cigano, com a esperança de que Margarita articulasse outro nome.

– Sim, mas eu já esqueci.

O Cigano engoliu em seco.

– Gabriela?

A moça ficou pensativa por alguns segundos e respondeu afirmativamente:

– Isto mesmo, o nome que me disseram foi esse.

Ao ver que o Cigano empalidecia, a Simpatia perguntou:

– Era conhecida sua?

O Cigano assentiu levemente.

– De vista... era a mulher de um sujeito que me compra uns trecos – respondeu, enquanto uma gota de suor se desprendia de sua nuca e lhe escorria pelas costas.

5

Juan Prieto escutou vozes provenientes da curva do caminho e ficou de sobreaviso. A presença de estranhos perto do embarcadouro deixava-o nervoso: invariavelmente, ele pensava em policiais gringos que chegavam para prendê-lo. Tendo reconhecido a voz de Ramón e depois a de Torcuato, saiu detrás da árvore onde se escondera.

– Olá – cumprimentou.

Ramón e os demais responderam, cada um gaguejando uma frase diferente. Assustada, uma carqueja alçou vôo por entre as sarças à margem do açude e se deteve alguns metros adiante, deixando na água imóvel uma esteira em forma de seta. Os raios do sol cintilavam nas escamas de peixe jogadas ao redor das lanchas.

Juan apontou uma rede comprida.

– Me ajudam? – perguntou. – Tenho de estender isto aí.

A rede foi amarrada a vários postes. Media cerca de cem metros e exibia incontáveis buracos e rasgões que Juan devia consertar costurando-os com fibra de juta, tarefa que lhe tomaria a manhã inteira.

Depois de atá-la, o grupo caminhou até umas pedras. Sobre uma delas estava um jabuti morto, de barriga para cima, com as entranhas apodrecendo dentro. Macedonio Macedo quis chutá-lo para se sentar, mas Juan o conteve:

– Deixe aí, estou esperando que seque para guardar o casco.

Macedonio protestou:

– Mas está fedendo para caramba.

Torcuato pegou o casco e o examinou.

– Não presta mais – disse –, está rachado.

– Então jogue fora – pediu Juan.

– Da próxima vez, ponha sal ou cinzas – sugeriu Pascual –, assim não fede nem dá bicho.

– Ou então raspe a carne – acrescentou Torcuato.

Os cinco se sentaram nas pedras. Juan comentou sobre a grande quantidade de tilápias que haviam pescado no mês anterior. Macedonio perguntou se ele tinha algumas para almoçá-las assadas.

– Não – respondeu Juan –, mas agora mesmo eu pesco umas com tarrafa.

Levantou-se, despiu a camiseta e pediu a Ramón que o acompanhasse.

– Enquanto isso, nós vamos acendendo um fogo – disse Torcuato.

Juan e Ramón caminharam até a beira do açude. Tiraram os sapatos e arregaçaram as calças para não as molhar. Juan pegou a tarrafa e Ramón, uma bacia de alumínio. Juntos, entraram na água. Dezenas de rãs saltaram à passagem deles, chapinhando na lama.

Juan jogou a tarrafa, esperou que os chumbos afundassem e puxou-a. Nada apareceu na malha.

– Falta de sorte – disse, lançando-a de novo. Um pelicano tomou altura e se deixou cair em linha reta alguns metros adiante.

– Os acarás estão ali, vamos entrar mais – propôs Juan. Os dois avançaram até que a água lhes chegasse aos joelhos.

– Aqui, nós vamos conseguir.

Mantiveram-se em silêncio. Juan voltou a lançar a tarrafa, sem resultado.

– Temos de ir mais para o fundo – sugeriu Ramón. Percorreram vinte passos, até molhar a cintura. Juan jogou a rede e, ao puxá-la, sentiu-a pesada.

– Agora, sim – disse. Levantou a malha. Três tilápias se debatiam, impetuosas.

– Eu soube do que aconteceu à sua namorada – murmurou Juan, pegando um acará pelas guelras para desenredá-lo. – Foi terrível.

Ramón achou vergonhoso sustentar a mentira do seu falso romance perante o amigo. Devia confessar-lhe que seu namoro com Adela só começara no dia em que a mataram. Mas não o fez: não podia trair a mulher que lhe havia legado um amor cifrado em cartas obscuras. Muito menos podia trair seu próprio amor por um corpo nu e tépido em seus braços, por uma moça fotografada em preto-e-branco e três quartos de perfil, por uma ausência que se ramificava dentro dele. Revelar a verdade a Juan significava a possibilidade de livrar-se do angustiante compromisso de ter de matar outro homem: sua última saída. Decidiu fechá-la.

– Sim, foi um horror – confirmou.

Juan tirou uma tilápia da rede e jogou-a na bacia que Ramón carregava.

– Pedro me disse que você pretende se vingar.

– Para isso, preciso que você me empreste sua pistola.

Juan desprendeu mais um acará e depositou-o na bacia. Se fosse para outra pessoa, não emprestaria a arma, muito menos com a certeza de que ela seria usada para assassinar alguém. Mas, sendo Ramón seu amigo desde criança, não pôde se negar.

– Sim, claro, quando a gente acabar aqui eu lhe dou – disse, sem se voltar para olhá-lo.

Pescaram mais sete acarás. Saíram do açude e encontraram Torcuato agachado, tentando atear fogo à lenha úmida. Ao lado dele, Macedonio soprava para avivar a chama. Juan entregou os peixes a Pascual para que este os limpasse, enquanto ele e Ramón iam até a choça para buscar a arma.

Entraram no quarto e Juan se dirigiu a um canto onde havia um saco com grãos de milho. Remexeu ali dentro, revolvendo as sementes com os dedos, até encontrar a Derringer. Soprou-a para limpá-la da poeira e das casquinhas. Caminhou até o meio do aposento e tirou do alto de uma viga quatro balas escondidas.

– São as únicas que eu tenho – avisou. Abriu o mecanismo da pistola, colocou duas balas no carregador, voltou a fechar a arma e a entregou a Ramón.

– Prontinha – disse, apontando o disparador. – Não tem trava, para atirar é só engatilhar.

Com a arma sobre a palma da mão, Ramón achou que ela parecia de brinquedo. E também de brinquedo as diminutas balas com cartucho dourado.

– Dá para matar alguém com esta merdinha? – perguntou, incrédulo.

– Se você mirar bem, sim. Se não, não.

Ramón engatilhou e apontou para um ponto indefinido.

– Cuidado – recomendou Juan –, não vá desperdiçar um tiro.

Ramón descarregou a pistola. Voltou a empunhá-la e virou-a lentamente para Juan. Mirou bem no peito dele e puxou o gatilho.

– Não é tão fácil – comentou Juan, ao ouvir o clique.

– Não é fácil o quê?

– Liquidar alguém.

Ramón deu de ombros.

– O pior de tudo é que depois você não consegue tirar o morto da cabeça – continuou Juan, e suspirou, ainda assombrado pela lembrança da gringa gorda mergulhada em sangue, depois que ele a massacrara a golpes de pá.

Sem dizer nada, Ramón baixou a pistola que ele havia segurado em posição de tiro.

– Você sabe no que está se metendo? – perguntou Juan.

– Não – respondeu Ramón secamente, guardando a Derringer Davis e as balas calibre 25 no bolso direito da calça.

6

O Cigano acordou navegando em um suor espesso, afogado por pesadelos recorrentes: Gabriela despedaçada, Gabriela devorada por vermes, Gabriela longe, Gabriela morta, Gabriela perdida para sempre.

Afastou o lençol com os pés e acendeu a lâmpada de cabeceira. Esfregou os olhos maltratados pela tênue luz amarelenta. Levantou-se e olhou pela janela a noite sem lua. Do outro lado da tela contra mosquitos, escutou os agudos chiados dos morcegos caçando insetos.

Quis fumar. Pegou a maleta, colocou-a sobre a cama e abriu-a para procurar um maço de cigarros. Remexeu tudo, mesmo sabendo que não o encontraria: fazia dez meses que não fumava.

Fechou a valise, vestiu uma calça e uma camiseta, correu a tela de arame e saltou para o jardim. Sentiu as picadas da grama crescida sob seus pés descalços. Na penumbra, distinguiu o caminho lajeado que margeava os quartos e conduzia à rua. Seguiu-o até topar com a cerca. Um sapo pulou ao seu lado. Ele o afastou com o calcanhar e o sapo continuou seu trajeto por entre uma fileira de vasos de plantas.

Puxou o ferrolho do portão, tentando não fazer barulho. Saiu e começou a andar rumo à zona iluminada do povoado, na esperança de achar alguém que lhe desse um cigarro. Chegou e não encontrou ninguém. Dirigiu-se à praça: deserta. Sentou-se num banco e ficou olhando as mariposas que revoluteavam ao redor das luminárias. O prefeito lhe dissera que todas as povoações da região não demorariam a contar com luz elétrica. Ele não acreditou: não acreditava nem nos políticos nem nas mulheres. Não tinha acreditado em Gabriela Bautista, quando ela lhe dissera que o amava e que se dispunha a largar tudo por ele. Não tinha acreditado, pelo menos até agora.

Começou a perambular pela praça. Sentiu-se incomodado pelo zumbido do gerador elétrico que rompia o silêncio da noite. Queria esse silêncio, queria pensar, evocar Gabriela. Recordou a manhã de agosto em que eles tinham feito amor na traseira da caminhonete estacionada à margem de um caminho lamacento. Recordou o horizonte cinza delineado sobre o verde das plantações, a chuva tamborilando no teto do veículo. Recordou o rosto de Gabriela, seus olhos fundos, sua pele lustrosa, suas pernas envolvendo-o, sua umidade. Recordou a última noite com ela, o assédio da lanterna, a correria pelas brenhas, a intimidade dos dois violada, o segredo descoberto, o amor final. Imaginou Gabriela morta e teve ímpetos de ir incendiar Loma Grande para depois incendiar a si mesmo.

Retornou quando as revoadas de garças brancas iniciavam seu vôo matinal em direção aos arrozais. O dia clareava. Ele entrou no quarto pela janela. Despiu-se completamente: àquela hora, o calor lhe pareceu ainda mais insuportável. Desabou na cama e ficou recostado, de cara para cima, com o olhar fixado nas pás do ventilador de pé que girava ali ao lado.

Emergiu do quarto com o dia já avançado. Tinha tomado banho e se vestira preguiçosamente, presa de um estranho cansaço. No refeitório, só encontrou os dois anciãos a quem não conhecia. Cumprimentou-os e continuou de pé, sem atinar em qual das nove cadeiras se sentaria. A Simpatia saiu da cozinha carregando uma panela fumegante e depositou-a sobre a mesa.

– Bom-dia...

– Bom-dia...

– Já acabou de acordar, ou não?

– Mais ou menos.

– Quer feijão?

– Sim – respondeu o Cigano, e se acomodou desanimado na cadeira à sua frente.

A Simpatia o serviu. Jamais tinha visto o Cigano tão sombrio.

Os anciãos terminaram o desjejum e se retiraram. Pausadamente, o Cigano começou a comer o prato de feijão.

– Pode parar de sofrer – disse a Simpatia, sorrindo.

O Cigano virou-se para olhá-la, desconcertado pela atitude da mulher, que parecia zombar dele.

– Sofrer com o quê? – inquiriu, agressivo.

A Simpatia sorriu de novo, fez uma bolinha de miolo de pão e jogou-a para um gato branco que brincava com um grilo morto junto à porta da cozinha.

– A pessoa que mataram não é quem você pensa – continuou ela, observando como o gato devorava a bolinha, e acrescentou: – Margarita se confundiu com os nomes.

A revelação da Simpatia atordoou o Cigano: ele não sabia se ela estava falando sério.

– A moça apunhalada em Loma Grande se chamava Adela, e não Gabriela.

– Como é que você sabe?

– Os evangélicos me disseram. Era uma das "novas". Eles foram ao enterro, no domingo à noite.

– E o que mais?

– Nada, os evangélicos não voltaram a Loma Grande desde esse dia e não sabem o que aconteceu depois.

O Cigano estremeceu de alívio. A Simpatia aproximou sua cadeira até encará-lo a poucos centímetros de distância.

– Escute bem – disse –, agora deixe em paz a tal Gabriela, se não quiser que ela acabe realmente assassinada.

– Do que você está falando?

– Não me venha bancar o idiota. De onde você tirou que a morta podia se chamar Gabriela?

O Cigano sorriu.

– De longe já se nota que você está caído por essa tal de Gabriela. Mas é bom lembrar: mulher casada, ou se toca de passagem ou se carrega roubada...

O Cigano acabou de comer e se levantou da mesa.

– Obrigado – disse.
– Pelo quê? – perguntou a Simpatia.
– Pelo feijão. Estava delicioso...

Reclinado na cama, o Cigano refletiu. Tanta tristeza, tanta angústia por acreditar que Gabriela estava morta só significava uma coisa: que ele a amava e devia roubá-la já. Não havia recuo possível: no dia seguinte, retornaria a Loma Grande para buscá-la.

Fechou os olhos e tratou de dormir as horas que havia perdido na noite anterior.

CAPÍTULO XIV

A melhor maneira de matá-lo

1

Ramón recuou cinco passos, engatilhou a pistola e esticou o braço na direção da palma de urumbeba. Fechou com força o olho esquerdo e, com o direito, procurou encaixar o alvo na mira da arma. Conteve a respiração para dominar o pulso, mas não pôde evitar que a Derringer Davis balançasse de um lado para outro. Apertou a empunhadura e, quando calculou ter apontado bem para a urumbeba, disparou. Abriu os olhos e examinou a palma, para ver se havia acertado. Torcuato meneou a cabeça, em sinal de desaprovação.

– Errou – disse, cruzando os braços.

Juan Prieto se aproximou da urumbeba e a vistoriou, para ver se havia algum buraco. Nada, a bala nem sequer a roçara. Ramón afrouxou a mão e baixou a pistola.

– Atirou alto demais – asseverou Pascual –, chegou a levantar poeira na lombada.

Acertar o alvo não era tão simples como parecera a Ramón. Muito pequena e leve, a Derringer Davis não se firmava bem na mão. Era quase impossível mantê-la em posição estável.

– Você vai ter de praticamente encostar a pistola na cabeça dele – afirmou Macedonio –, porque, atirando desse jeito, não vai acertar porra nenhuma.

Torcuato resmungou:

– Sim, claro, e o Cigano vai deixar que ele chegue perto? Não senhor, ele precisa é aprender a atirar de longe – disse. Pediu a pistola a Ramón, abriu-a, jogou fora o cartucho vazio, soprou os restos de pólvora queimada, lambuzou a culatra com saliva e carregou de novo a arma.

– Preste atenção – disse a Ramón –, o segredo para acertar é não esticar o braço e grudar o cotovelo no corpo.

Torcuato se plantou com os pés separados, olhando para o alvo. Ergueu o braço dobrado, em ângulo reto. Respirou fundo, apontou e apertou devagarinho o gatilho. O tiro ressoou, ecoando no paredão do açude. Torcuato ergueu a cabeça para acompanhar melhor a trajetória da bala.

– Porcaria nenhuma – disse Juan –, você atirou ainda mais alto do que Ramón.

Torcuato levantou o queixo, em sinal de desafio.

– Não fale besteira, você não viu direito – reagiu. Caminhou até a urumbeba e perscrutou-a várias vezes, buscando indícios da bala, até reconhecer que havia errado, não sem antes afirmar, categórico:

– Esta merda de pistolinha tem a mira torta.

Torta ou não, a Ramón pareceu evidente como seria difícil matar o Cigano com a Derringer Davis. Ele precisaria atirar de perto, muito de perto, de preferência na têmpora ou no meio dos olhos: "como se faz com os javalis, quando eles vêm para cima de você baixando a cabeça e mostrando as presas", disse Macedonio.

Ramón desconhecia a medida de sua própria têmpera: não sabia se, na hora certa, conseguiria controlar os nervos para se aproximar do Cigano e acertá-lo à queima-roupa.

Às três da tarde, a maior parte dos habitantes de Loma Grande sabia que Ramón Castaños pretendia eliminar seu rival com a pistola que Juan Prieto lhe emprestara. "A mesma que ele usou para liquidar um policial no Texas", afirmavam os que desconheciam a verdadeira história de Juan. Também correra o boato de que se tratava de uma pistola traiçoeira, com a qual era impossível apontar fixamente. Por essa razão, alguns homens do povoado se reuniram na venda para discutir a conveniência ou a desvantagem de usar a Derringer Davis. Os argumentos iam e vinham:

– Eu acho que essa pistola pequenininha vai ser do cacete – sustentou Ethiel Cervera –, o Cigano nem vai perceber o que Ramón tem na mão.

– Mas as balas também são pequenininhas – interrompeu Amador. – Se Ramón não acertar bem na cabeça, aquele safado vai acabar com ele.

– É mesmo, parecem balas para matar coelho – asseverou Lucio.

– Não, homem, pois se eu, com balas ainda menores, de 22, consegui matar veados, com uma dessas eu mato até um tigre – afirmou com segurança Sirenio, o mais novo dos Pérez.

– Conversa fiada – zombou Lucio –, quando foi que você já caçou na vida algum veado?

Sirenio ia continuar a discussão, mas Torcuato interveio:

– O que você deve fazer – disse a Ramón – é matá-lo sem que ele veja.

– Pelas costas? – atalhou Macedonio. – Não, isso não é coisa de macho.

– Ah, é? E por acaso o Cigano foi macho, esfaqueando a moça por trás? – refutou Torcuato.

– Bom, nisso você tem razão – reconheceu Macedonio, e continuou, dirigindo-se a Ramón: – Então, está certo, atire pelas costas.

– E como é que ele vai fazer, se o desgraçado do Cigano só anda colado às paredes? – interrogou Amador.

– É verdade, aquele safado nunca se descuida – acrescentou Pedro Estrada.

Os homens continuavam envolvidos na discussão quando chegou Marcelino. Se alguém tivesse prestado atenção em sua cara turva, perceberia que ele estava querendo bater boca.

– Acho melhor acabar com essa animação toda – interrompeu de repente –, porque o corno do Cigano não vai ser bobo de voltar aqui.

Os outros se calaram. Ninguém havia previsto a possibilidade de uma vingança inconclusa: todos davam por certo que o Cigano se apresentaria em Loma Grande no princípio do mês seguinte.

– Não vai ser besta de retornar – reforçou Marcelino. – Ou vocês acham que ele vem botar flores no túmulo da morta?

Sem se mover na cadeira em que estava sentado e sem largar a cerveja que segurava, Justino Téllez afirmou:

– Vai voltar, sim, pode escrever o que eu estou dizendo.

Marcelino virou-se para ele e sorriu com uma careta antipática.

– Você diz isso por que, se já baixou as calças para Carmelo Lozano? Pensa que a gente não viu que ele esteve na sua casa hoje de manhã?

Justino bebeu um pouco de cerveja, jogou os braços atrás da nuca e, sem se alterar em absoluto, retrucou:

– Quem baixa as calças é sua mãe, veado... Você não sabe o que eu disse a Carmelo, portanto, cale essa boca.

Temendo uma briga mais séria, a viúva Castaños, que os escutara através da parede da casa, saiu para a venda. Cruzou o círculo dos homens, murmurou um "boa-tarde" para todos, perguntou a Lucio Estrada como Evelia estava de saúde, a Pedro pelo estado de Rosa, e sentou-se num banco junto do balcão.

O estratagema da viúva deu resultado e os ânimos se apaziguaram. A conversa prosseguiu, de início encaminhada para temas dispersos, até que, aos poucos, o debate sobre a Derringer Davis recomeçou.

A controvérsia se prolongou por um bom tempo, sem que se vislumbrassem indícios de conclusão. Por volta das cinco da tarde, o grupo aumentara em número. Os que chegavam aderiam rapidamente a um ou a outro lado, e ponderavam os prós e os contras da Derringer Davis. A polêmica enveredou por digressões absurdas sobre a correlação entre o comprimento do cano e o impacto do disparo, o efeito da velocidade do vento sobre o peso da bala, a parábola do projétil a curta distância, de tal modo que não se resolvia o miolo do assunto: matar um homem, e matá-lo direito.

Jacinto Cruz pareceu notar essa falha e disse a Ramón, como se ali não houvesse mais ninguém afora eles dois:

– Escute bem: para acabar com essas besteiras todas, eu vou lhe dizer a melhor maneira de despachar o Cigano.

A intervenção abrupta de Jacinto emudeceu a roda. A Derringer Davis passou ao segundo plano e o interesse coletivo se concentrou naquilo que Jacinto ia propor a Ramón. Só que Jacinto não disse palavra sobre isso, limitando-se a pedir ao vendeiro que o acompanhasse "porque eu tenho de lhe ensinar como matá-lo, porque assim, só descrevendo, você não vai entender".

Partiram os dois, seguidos por Pascual, Torcuato e Macedonio. Enquanto os viam afastar-se, os outros, perplexos, mas fingindo não estar morrendo de curiosidade por saber o que Jacinto ia mostrar a Ramón, voltaram a discutir os efeitos e atributos de uma pistola como a Derringer Davis calibre 25, de dois canos e dez centímetros de comprimento.

2

O Cigano despertou da sesta extenuado por um pressentimento: o de que Gabriela podia ser assassinada naquela mesma noite. Achou ridícula essa premonição e tentou não lhe dar importância, mas não conseguiu. Ficavam no ar certas questões sem solução, que ainda podiam desencadear imprevistos. A dúvida mais incômoda era a de não saber se Pedro Salgado estava ou não ao par dos seus amores com Gabriela. Além disso, intrigava-o a identidade da moça assassinada. Quem era ela? Por que havia sido esfaqueada? De início, pensou que a tinham massacrado por equívoco e que a verdadeira destinatária da punhalada era Gabriela. Gabriela, Gabriela. O nome de Gabriela lhe doeu. Por que se preocupava tanto com ela? Por que não podia mandá-la para o caralho, como fazia com todas as demais? Sempre gostara de se divertir com mulheres casadas, de mantê-las no fio da navalha e abandoná-las no exato momento em que elas estivessem decididas a ir embora com ele; por que não podia agir assim com Gabriela?

Tinha de ir procurá-la o mais rápido possível: não suportaria nem mais uma noite pensando-a longe, sonhando-a devorada por vermes, desejando-a com raiva. Mesmo assim, procurou não se precipitar. Não valia a pena ir naquela mesma noite a Loma Grande: certamente, toparia com o marido e a violência podia se desencadear. Era melhor aparecer no povoado na manhã seguinte, depois que Pedro Salgado saísse para as plantações de algodão, junto com os outros trabalhadores.

Pensou que, antes, devia investigar a fundo o que realmente acontecera em Loma Grande, com o crime contra Adela. Não podia chegar desinformado ao povoado. Imaginou que Carmelo Lozano devia saber alguma coisa e decidiu visitá-lo no comando da polícia rural em Ciudad Mante.

Deixou a Pousada Los Albatros no meio da tarde. Como não encontrou nem a Simpatia Fernández nem a filha dela, colocou num envelope o dinheiro que lhes devia e o meteu por baixo da porta do quarto das duas, junto com um bilhete que mais parecia um telegrama:

Simpatia: você estava com a razão. Mulher casada, mulher roubada.
Saudações,
José Echeverri-Berriozabal.

3

Passaram primeiro pela casa de Jacinto, onde o magarefe pegou umas cordas de laçar e um pequeno embornal.

– O que é isso aí? – perguntou Macedonio.

– Surpresa – respondeu Jacinto, enquanto pendurava o embornal no ombro e entregava uma corda a cada um.

Encaminharam-se para os pastos que rodeavam o flanco sul do morro do Bernal. Ao chegar, Jacinto pediu aos outros que o ajudassem a localizar um touro acobreado, com a testa branca e o rabo cortado. Pascual o viu pastando ao longe, embaixo de uma algarobeira, na encosta do morro onde o mato era mais denso.

Segundo Jacinto, tratava-se de um touro muito rebelde e arisco, acostumado desde sempre a andar solto pelo campo.

– É bem bravo – explicou –, então tomem cuidado.

Os cinco se separaram para encurralar o animal. Aproximaram-se silenciosamente, para evitar que ele se espantasse e fugisse. Escondendo-se entre as esponjeiras, Jacinto conseguiu chegar a poucos passos de distância. Agachou-se e jogou o laço. A corda golpeou o lombo do animal e resvalou. Sentindo-se acossado, o touro ergueu desafiadoramente os chifres e arrancou ladeira abaixo. Torcuato tentou barrar-lhe a passagem e o touro baixou a cabeça para atacá-lo. Torcuato pulou para o lado e o animal seguiu em frente.

– Corte o caminho dele por ali – gritou Jacinto a Ramón.

Ramón correu em diagonal, tentando alcançar o bicho, mas este ganhou velocidade e sumiu no meio de umas moitas. Embora fosse possível escutá-lo quebrando ramos e arbustos, era difícil prever por onde ele ia aparecer. Jacinto, que conhecia bem o terreno, adivinhou que o touro irromperia pela margem alta do riacho seco e, com um assovio, mandou que Pascual fosse por ali.

Pascual cruzou rapidamente uma clareira e se escondeu atrás de umas urumbebas. Sentiu à sua frente o estrondear do animal e, nervoso, preparou a laçada. O touro brotou do matagal e seguiu pela borda do barranco. Pascual o esperou e, ao vê-lo passar, laçou-lhe uma das patas. Vendo-se apanhado, o touro mugiu e acelerou sua marcha. Pascual fincou os pés na terra para tentar detê-lo. Com o puxão, o touro se virou e arremeteu contra o homem. Pascual rodou sobre si mesmo e se esquivou do ataque do animal, que, com o impulso, escorregou nas folhas secas e deslizou para o fundo da ravina. Decidido a não permitir que ele fugisse, Pascual enrolou a corda nas mãos e se deixou arrastar.

Na queda, o touro bateu com o flanco numa rocha e a corda se enrolou em suas patas. Pascual quis amarrar a outra ponta numa árvore, mas o touro, enfurecido, conseguiu se safar e saiu desembestado, rebocando-o pelo leito seco e pedregoso do riacho.

Da borda do barranco, Torcuato, Jacinto e Ramón observaram como Pascual e o touro se precipitavam entre as lajes soltas e se apressaram a descer. Ramón os alcançou e conseguiu laçar o touro pelo pescoço.

– Puxe! – gritou-lhe Torcuato.

Ramón tensionou a corda e o touro reduziu o passo. Torcuato se aproximou do animal e agarrou-o pelo rabo. O touro girou para tentar chifrá-lo, mas Torcuato se agarrou bem à cauda e girou junto com ele. Pascual conseguiu se levantar e atou sua corda a um tronco.

Ramón fez o mesmo. Cansado, o touro parou de lutar e finalmente se aquietou. Torcuato soltou a cauda e se afastou o máximo possível. Jacinto e Macedonio chegaram para ajudar, e todos juntos derrubaram o animal para lhe amarrar as patas.

– Danado de touro, parecia o demônio – comentou Pascual, cuspindo nas feridas que, em seus puxões com o animal, o roçar da corda lhe havia provocado nas palmas das mãos.

– Eu avisei que ele era bem fraquinho... – riu-se Jacinto.

Caído ali perto, o touro bufou, ofegante, e sacudiu a cabeça, tentando se levantar.

– Pensei que poderíamos tocá-lo até o curral – continuou Jacinto –, mas estou preferindo matá-lo aqui mesmo.

– E nós é que vamos carregá-lo? – inquiriu Macedonio.

– Não, homem, eu o esquartejo e depois venho com as mulas para buscar a carne – respondeu Jacinto. Colocou o embornal sobre os joelhos e acrescentou: – Agora, Ramón, eu vou lhe ensinar como matar o Cigano.

Tirou da bolsa um fura-gelo e uma pedra de amolar. Limou três ou quatro vezes a ponta e raspou a unha do polegar direito para testar o fio.

– Prontinho – disse.

Caminhou até onde jazia o touro. Apalpou entre as costelas e, perto do cotovelo, marcou com o indicador um ponto imaginário.

– Aqui fica o coração – assinalou.

O touro, pressentindo perigo, soltou um bramido rouco e lastimoso que retumbou entre as paredes da ravina. Uma veia comprida e grossa se inchou em seu pescoço e o pêlo do seu espinhaço vibrou com pequenos tremores.

Jacinto brandiu o fura-gelo com a mão direita e, com a esquerda, esticou as dobras do couro.

– Tem que furar assim – disse, e com um movimento vertiginoso cravou o instrumento até o punho. O touro mugiu levemente e esbugalhou os olhos. Jacinto remexeu várias vezes o fura-gelo dentro do animal e tirou-o aos poucos. Um jorro de sangue brotou imediatamente da ferida.

Ramón, atônito ante a execução, não teve tempo de pular para trás e viu como seus sapatos ficavam salpicados de vermelho. Sentiu uma tontura: imaginou Adela dessangrando-se assim.

– O buraco é bem no coração – explicou Jacinto –, ele não demora a apagar.

O touro os encarou, arquejante, enquanto se apagava o brilho dos seus olhos. Assim, imóvel e agoniado, parecia uma rês mansa, muito diferente da besta furiosa que tanto havia lutado minutos antes.

O esguicho de sangue subiu e desceu intermitentemente, ao ritmo das batidas do coração, até que se transformou num fluxo descontínuo. O touro arfou, expelindo um coágulo pelo nariz. As veias do seu pescoço se dilataram ao máximo e depois desapareceram. De repente, ele estendeu a cabeça e as patas traseiras e deixou-as cair pesadamente.

Jacinto contemplou os últimos estertores do animal e, sem se voltar para olhar Ramón, disse:

– Entendeu?

Ramón, que imaginava Adela morrendo igual, respondeu que não, sem pensar.

– Veja – continuou Jacinto –, se um touro deste tamanho esticou a canela tão fácil assim, imagine como vai ser rápido empacotar o Cigano.

Torcuato, que sabia como era difícil lidar com cabritos e bezerros para sacrificá-los, achou o procedimento uma maravilha. Já não teria de procurar a jugular dos cabritos para degolá-los, nem de encontrar a união das cervicais nos bezerros para lhes quebrar o pescoço a machadadas. Agora, bastava uma furada limpa e certeira.

Macedonio também mostrou seu entusiasmo:

– O Cigano nem vai saber de que morreu – disse, convencido de que o fura-gelo era a arma perfeita para a vingança: curta, letal.

Pouco a pouco, Ramón se esqueceu de Adela e se concentrou nas explicações de Jacinto.

– O segredo – acrescentou o magarefe – é você cravar com bastante força, porque, se topar com um osso, a ponta resvala e afunda até o fim. Para isso, precisa estar bem afiada.

Jacinto se colocou junto de Ramón e escondeu o fura-gelo dentro da manga de sua própria camisa.

– Você tem de guardá-lo aqui – disse, apontando seu antebraço esquerdo –, para o Cigano não o ver. Assim, na hora certa, você o saca com a outra mão e mete embaixo do sovaco dele.

Ofereceu o fura-gelo a Ramón e disse:

– É sua vez, vamos ver.

Ramón pegou o instrumento pelo punho e ensaiou duas ou três vezes o ataque esboçado por Jacinto.

– Agora, experimente com o touro – sugeriu Pascual.

Ramón se voltou e viu a enorme massa inerte junto dele.

– Para quê? – perguntou.

– Para pegar a manha – completou Jacinto.

Ataram os chifres do touro e o penduraram nos galhos de um ébano.

– Acerte nas costelas e atravesse os ossos – ordenou Jacinto.

Pascual empurrou o cadáver, que ficou balançando. Ramón descarregou uma estocada, mas o fura-gelo mal entrou.

– Não, não, não – recriminou Jacinto –, você tem de deixar ir o braço todo. Vou lhe mostrar.

Jacinto se posicionou junto do touro e Pascual empurrou de novo o animal. O magarefe se agachou e, à primeira oscilação do cadáver, acometeu com violência, cravando o furador até o punho.

– Você tem de partir com toda a garra, porque, do jeito como está fazendo, o Cigano só vai sentir cócegas.

Ramón tentou quatro golpes até que, no quinto, conseguiu meter completamente o ferro na carne arroxeada. Para demonstrar que havia dominado a técnica, repetiu o gesto outras três vezes.

Jacinto deu uma palmada no lombo do touro e reiterou a Ramón que atacasse o Cigano embaixo da axila, à altura do mamilo esquerdo.

– E, depois de cravar a ponta, você precisa mexer o furador para todos os lados, para rasgar bem as tripas – sentenciou.

Macedonio ficou desconcertado pela maneira calma, segura e até paternal com que Jacinto instruía Ramón.

– Escute aqui, Jacinto, quantos marmanjos você já apagou? – perguntou.

Sem se ofender, Jacinto retrucou:

– Eu, nenhum, mas o sujeito que me ensinou a sacrificar as reses desse jeito já tinha espetado pelo menos uns dez filhos da puta.

Ninguém acreditou nele e não se falou mais no assunto.

Abriram o touro de alto a baixo e lhe esvaziaram as entranhas. Jacinto recolheu as vísceras comestíveis: fígado, bofes, bucho, testículos, rins, e acomodou-os em sacos plásticos. Num saco à parte, guardou o coagulador e a moleja. Mostrou a todos o coração transpassado por seis furos e o entregou a Ramón.

– Você leva jeito – disse –, guarde como recordação.

Esfolaram o cadáver e cobriram-no com galhos espinhosos de esponjeira para que os coiotes não o comessem. Jacinto salgou o couro, enrolou-o e atou-o com uma corda de juta.

– Se você me emprestar a carroça do seu pai, eu lhe dou de presente este couro – propôs a Pascual. Os dois combinaram retornar à noite para recolher o animal.

Voltaram ao povoado antes de escurecer. Durante o trajeto, Ramón apalpou a calça várias vezes. Queria conferir se ainda continuava no seu bolso o retrato de Adela em preto-e-branco e três quartos de perfil.

4

O Cigano chegou a El Abra e se deteve para comprar um lote de laranjas. Não havia comido mais nada, além do prato matinal de feijão. Sentou-se no capô da caminhonete, descascou uma laranja com os dentes, chupou os gomos e cuspiu o bagaço. Com um trapo úmido, limpou as manchas amarelo-esverdeadas que dezenas de libélulas tinham deixado sobre o vidro, ao se esmagarem contra o pára-brisas. Chupou outra laranja e acomodou o resto dentro de um isopor com gelo.

Deixou El Abra e pegou a rodovia federal para Ciudad Mante, na intenção de procurar Carmelo Lozano. No caminho, lembrou-se de um marinheiro grego que ele conhecera quando adolescente. O homem era capitão de um barco mercante de bandeira liberiana que, em sua rota de cabotagem, atracava nos portos de Colón, Progreso, Coatzacoalcos, Veracruz, Tampico e Brownsville. Tinha o apelido de "Vermelho Papadimitru", não pela cor de seu cabelo – que, aos quarenta anos, ele tinha completamente grisalho –, mas por ser um exaltado partidário do comunismo.

Falava corretamente o espanhol, com um sotaque entre o estrangeiro e o litorâneo. Só recorria ao seu idioma natal quando se enfurecia e exclamava: *Star gidia!*. Era famoso em Tampico, entre muitas outras coisas, por se exercitar percorrendo de bicicleta a coberta do seu barco. O Cigano o conheceu numa baiúca de porto onde se apostava alto no baralho espanhol. O Vermelho raramente ia até lá para jogar, mas sim para beber uns grogues com os amigos. Tinha grande facilidade de conversa e gostava de elaborar teorias extravagantes sobre o cotidiano. Vários o rodeavam, inclusive o Cigano, só para escutá-lo.

Numa dessas noites, o Vermelho Papadimitru disse uma frase que ficou vivamente gravada na mente do Cigano. "Existem mulheres", explicou o marinheiro, "que são corpos e outras que são pessoas". Alguém lhe disse que tal distinção era pueril: de um modo ou de outro, toda mulher era ao mesmo tempo corpo e pessoa. Sob o poderoso efeito de uma garrafa de uísque, o Vermelho esclareceu: "É o seguinte, há mulheres com as quais você se deita e zás, acabou-se, passam como se nada fosse, você as esquece na manhã seguinte. Essas, eu chamo de mulheres-corpo. Mas há outras com quem você pode se deitar a vida inteira e nunca termina de fazer amor com elas. São caixinhas de surpresas a cada minuto da vida. Essas são as mulheres-pessoa. Aquelas, você descarta e xô, não quer mais saber delas. Mas as outras são as que ficam dentro de você, por mais que você queira tirá-las da cabeça."

As afirmações do Vermelho causaram resmungos, aplausos e xingamentos. Acusaram-no de grosso, ignorante, convencido, veado. O Vermelho pouco se importou com o bate-boca que havia desencadeado e continuou elaborando conjecturas.

O Cigano ficou tão impressionado pelas idéias do Vermelho que passou a noite inteira matutando sobre elas. Especulou se também para as mulheres havia homens-corpo e homens-pessoa, e o que acontecia quando um homem-corpo topava com uma mulher-corpo, ou um homem-pessoa com uma mulher-corpo e vice-versa.

No dia seguinte, quis se exibir perante seus colegas de escola, apresentando como sua a teoria que escutara do Vermelho. Não imaginou que sua exposição pudesse se voltar contra ele, até que um dos colegas disse:

– Então, sua mãe é dessas que você chama de mulheres-corpo, porque, até onde eu sei, seu pai a comeu de passagem e depois jogou fora, com você no bucho...

O Cigano empalideceu de fúria, enquanto os outros colegas riam dele. Quis bater naquele que o ofendera, mas este, em vez de enfrentá-lo, saiu correndo pelo pátio do colégio, gritando: "Venham ver o filho da mulher-corpo, venham ver..." O Cigano, envergonhado, abandonou os estudos e não voltou mais.

Também não retornou à baiúca e abominou para sempre o Vermelho. Alegrou-se quando, anos depois, soube que ele fora encontrado morto, com um pedaço de garrafa de tequila incrustado no estômago, cravado por uma puta de porto: uma mulher-corpo.

Não voltou a se lembrar do Vermelho e suas teorias até essa tarde de terça-feira, quando, dirigindo pela estrada de Ciudad Mante, percebeu que, por mais que fizesse amor com Gabriela, não terminaria de fazê-lo nunca. Podia beijá-la dos pés à cabeça e não se saciar, lamber cada centímetro de sua pele e em cada um encontrar um sabor diferente. Aquela arenga do Vermelho não tinha sido uma mera fanfarronada de macho, mas a tosca reflexão de um homem que, evidentemente apaixonado, buscava a forma de distinguir de todas as outras a mulher amada.

5

Chegou a Mante e cruzou a cidade de ponta a ponta até desembocar na saída para Ciudad Victoria. Na última casa, já quase na estrada, localizava-se o quartel da polícia rural.

Bateu à porta e um policial sonolento, cheirando a cerveja e com a camisa desabotoada, veio abrir.

– Olá, Cigano, como vai? Entre, o comandante está lá dentro.

Mensalmente, o Cigano ia ao quartel para pagar sua cota. Tinha na corporação a fama de contrabandista bom pagador e, à exceção de seus freqüentes rolos com mulheres casadas, um tipo alheio a brigas e problemas. Num dos quartos, encontrou Carmelo Lozano jogando dominó com três dos subalternos. Junto à sua cadeira havia vários cascos vazios de cerveja, de diferentes marcas, e, sobre a mesa, uma garrafa de tequila e um prato com restos de queijadinhas. Uma lâmpada nua, salpicada de cocô de moscas, iluminava o aposento. Lozano, sem camisa e com um trapo vermelho umedecido sobre os ombros, convidou o Cigano para se sentar junto dele.

– Espere um pouquinho – disse –, eu vou só travar este duplo seis aqui do companheiro e já falo com você.

A partida de dominó continuou. O Cigano observou duas corças penduradas numa viga do quintal.

– Confiscamos de uns caçadores – esclareceu Lozano. – Amanhã vamos fazer um churrasco, quer vir?

– Não, tenho umas coisas para resolver – respondeu o Cigano, fitando as pedras do capitão. Lozano virou uma para cima e deixou-a girando sobre a mesa.

– Depois desta, eu paro – disse.

E assim foi. Um dos jogadores colocou um duplo quatro e o capitão soltou sua última pedra: um quatro-dois.

Lozano se levantou da mesa e se espreguiçou até tocar o teto com as mãos.

– Façam a sopa – ordenou –, enquanto eu vejo o que deseja o compadre aqui.

Deu um trago na tequila e a ofereceu ao Cigano.

– O que trouxe o amigo a estas bandas? – perguntou.

– A vida, comandante.

Lozano sorriu.

– E o que mais, além da vida?

– Tenho uns negócios pendentes em Loma Grande e me disseram que a coisa por lá anda fervendo... qual é o motivo?

– Mataram uma moça...

– Pois é, eu soube – interrompeu o Cigano.

Lozano continuou a frase:

– ... e está havendo um belo alvoroço no povoado.

– Tanto assim?

– O suficiente para acabarem com você, se lhe der na telha de aparecer lá.

– Mas por que eu, se não tenho nada a ver com isso?

Carmelo se espreguiçou de novo e se deixou cair pesadamente na cadeira.

– Vibrações, compadre, vibrações.

Iniciou-se outra partida.

– E que negócios pendentes são esses? – inquiriu Lozano.

– Vou cobrar umas dívidas.

– Cobre depois.

– Prometeram pagar amanhã.

Lozano recolheu sete pedras, endireitou-as e organizou-as por números.

– Veja só que jogo de merda – disse, mostrando-as ao Cigano. Ergueu a cabeça e encarou o parceiro: – Quem abre, você ou eu?

O outro abriu, com um duplo três.

– Pois, para mim, você está é de caso com uma mulher de lá, e doido para ir atrás dela.

– É um pouco isso, também, mas eu vou principalmente para me pagarem.

– Quer um conselho, camarada? Não vá ao povoado... falo sério, as pessoas estão putas da vida.

– Nem que seja só para receber meu dinheiro. Vou e volto no mesmo dia.

Lozano fez um gesto de desaprovação e golpeou a mesa com uma pedra de dominó.

– Passo – disse.

A rodada continuou e o comandante passou de novo.

– Caralho, preste atenção onde foi que eu empaquei – recriminou, dirigindo-se ao parceiro de jogo.

Nervoso, o subalterno respondeu:

– Vamos à próxima, à próxima.

Lozano enxugou o suor da cara com o trapo que lhe refrescava os ombros e deu mais um gole na garrafa de tequila.

– Tudo bem, Cigano, faça o que quiser... mas depois não me venha choramingar.

A partida terminou com a derrota da dupla de Lozano, por vinte e cinco pontos.

– Filhos da puta – disse Carmelo, e começou a remexer as pedras.

O Cigano esfregou as mãos na calça, excitado.

– Escute, comandante, o senhor não poderia me emprestar uma pistola? Nunca se sabe, alguém do povoado pode ficar maluco... – disse, pensando em Pedro Salgado.

– Não – exclamou Lozano, de imediato –, nem pensar! Além disso, para quê? Não dizem por aí que seu couro é duplo?

– Pois é, mas até os gatos acabam perdendo as nove vidas.

O capitão virou-se para o Cigano e o encarou fixamente.

– Por que o medo, compadre? Você não disse que não tem nada a ver com a história?

– E o senhor não disse que a coisa está muito preta em Loma Grande? – respondeu o Cigano, calmamente. – Eu só quero a pistola por precaução.

Lozano pareceu gostar da resposta, porque mudou seu tom de voz.

– Eu não empresto – disse, e, antes que o Cigano retrucasse, acrescentou: – Eu vendo.

– Por quanto? – perguntou o Cigano, sem esconder seu contentamento.

Lozano olhou os três subalternos com quem jogava dominó e, como se tivesse um trato com eles, respondeu:

– Dois milhões e meio.

– O que houve, capitão? Com isso, eu compro uma retrocarga.

– É o meu preço. Quer ou não?

O Cigano meteu a mão no bolso da calça e apalpou os dois milhões de pesos que ganhara com a venda dos gravadores.

– Dou um e meio.

Lozano pegou suas sete pedras e, sempre olhando para elas, recusou a oferta:

– Nem você nem eu... fica por dois e duzentos.

– Um e setecentos.

– Um e novecentos e acabou.

– Fechado.

O Cigano puxou as notas, contou-as e colocou-as sobre a mesa.

– Está tudo aí.

Calmamente, o capitão pegou o dinheiro e, sem conferir o total, guardou-o.

Uma partida começou e terminou. Seguiram-se mais duas, e Lozano não se movia do seu lugar. Impaciente, o Cigano reclamou:

– E a pistola?

Fingindo surpresa, o capitão respondeu:

– Que pistola?

O Cigano fechou a cara e protestou:

– Sem brincadeira, comandante... o senhor não...

– Mas, compadre, eu não sei do que você está falando – disse Lozano, virando-se interrogativamente para seus subordinados. – Vocês sabem que história é essa aqui do nosso amigo?

Os três policiais negaram com a cabeça, sorrindo discretamente.

– Viu? Não sabemos que pistola você está reclamando.

O Cigano sabia que, quando Lozano adotava aquela atitude, era impossível discutir com ele.

– Ou seja, o senhor resolveu me tapear.

Carmelo Lozano colocou uma pedra de dominó no centro da mesa.

– Vou sair com o duplo cinco – disse, e refrescou de novo o rosto com o trapo úmido. Depois, deu uma palmada no joelho do Cigano.

– Não me entenda mal, compadre, eu não estou tapeando você, estou é ajudando.

– Afanando meu dinheiro?

– Não – reagiu o capitão –, porque ele entra como adiantamento de suas cotas... e agora desapareça, porque você me distrai e eu acabo perdendo.

O Cigano quis protestar, mas Lozano o cortou bruscamente.

– Eu já falei, fora daqui. Se não for embora neste minuto, eu invento uma acusação e prendo você.

O Cigano parou de insistir e saiu do quartel enfurecido: com um pé nas costas, o comandante lhe dera um golpe de quase dois milhões de pesos.

Cruzou de novo a cidade, dirigiu-se ao outro extremo, à estrada para Tampico, e estacionou numa trilha contígua. Entrou na traseira da caminhonete, estendeu o colchonete no piso, ajeitou os lençóis e se dispôs a dormir. Estava decidido: fosse qual fosse o clima em Loma Grande, e com ou sem pistola, no dia seguinte ele iria atrás de Gabriela.

CAPÍTULO XV

Uma noite antes

1

– O Cigano está em Los Aztecas.

A notícia alcançou o povoado pela boca de Guzmaro Collazos, recém-chegado no ônibus que parava em Loma Grande nas terças-feiras à tarde e cuja rota cobria El Abra – El Triunfo – Plan de Ayala – Niños Héroes – Los Aztecas – Assentamento Madero – Díaz Ordaz – Canoas – Graciano Sánchez – Assentamento Pastores – Loma Grande – Santa Ana – El Dieciocho – Lópes Mateos – Ciudad Mante.

– Como é que você sabe? – inquiriu Amador Cendejas.

– Eu vi a caminhonete dele em frente à pousada – respondeu Guzmaro, enquanto tentava reanimar um dos perus que trouxera na viagem e que se sufocara, espremido entre dois sacos de açúcar.

Marcelino, ainda acalorado pela discussão com Justino Téllez, alfinetou-o:

– E se cagou de medo e deu com a língua nos dentes, não foi?

– Vai começar de novo... – sussurrou Justino, para ser escutado só pelos que o rodeavam.

Guzmaro parou de soprar dentro do bico do peru desfalecido e, arrogante, respondeu:

– Não me venha com essa conversa, Huitrón, que eu não sou veado para ficar fazendo intriga.

– Mas você é o único que saiu daqui depois que soubemos que o Cigano matou a moça.

Era verdade: naquela manhã, Guzmaro tinha ido a Niños Héroes de bicicleta para comprar as aves. Deixara a bicicleta com um primo que morava lá e retornara de ônibus para não ter de carregar os perus.

– Pois fique sabendo, Marcelino, que eu nem olhei para o Cigano, vi apenas a caminhonete, de relance.

– Vamos ver... vamos ver – resmungou Marcelino.

Guzmaro não reagiu à provocação: o peru havia sucumbido em suas mãos e ele não sabia o que fazer com aquilo.

A notícia de que o Cigano não estava longe de Loma Grande atiçou a maioria e despertou uma avidez geral por acabar com ele. Sotelo Villa propôs que fossem todos a Los Aztecas para linchá-lo, mas Justino Téllez o acalmou:

– Essa briga não é nossa – disse –, é assunto de Ramón.

Quando Ramón voltou, depois da execução do touro, os homens o aguardavam expectantes. Queriam saber como ele reagiria ao fato de o Cigano se encontrar a poucos quilômetros de distância. Pressionaram-no de várias maneiras, alguns obrigando-o a reiterar seu compromisso de vingança. Outros, os mais agressivos, entre os quais Marcelino Huitrón e Sotelo Villa, instando-o a ir naquela mesma noite a Los Aztecas, para o ajuste de contas. Atordoado, Ramón não conseguiu responder aos que o atormentavam. Jacinto Cruz o ajudou a se livrar deles.

– O bom caçador – disse, pausadamente – não fica buscando o tigre, e sim espera que ele venha.

A frase incomodou Marcelino Huitrón.

– E se ele não vier? – perguntou, altaneiro.

Sem permitir que Jacinto respondesse, Justino Téllez respondeu:

– Marcelino, quantas vezes eu preciso lhe dizer que o Cigano vai voltar? – interpelou-o, irritado.

Belicoso, Marcelino se adiantou para enfrentá-lo.

– E quantas vezes eu tenho de lhe perguntar como é que você sabe disso?

Justino se levantou da cadeira, deixou sobre a mesa de metal a garrafa de cerveja que havia bebido e virou-se para Marcelino.

– Porque quem não deve não teme – retrucou, e, sem fornecer mais explicações, deu meia-volta e foi embora.

Os demais ficaram confusos. Só Ranulfo Quirarte compreendeu totalmente o administrador comunal. Sem dúvida, Justino sabia da inocência do Cigano e, assim como ele, outros também podiam saber. Ranulfo se deu conta da fragilidade de sua mentira e teve medo. Se Ramón não matasse o Cigano, o que era o mais provável, o Cigano averiguaria o nome de quem o havia acusado do crime e o procuraria para tomar satisfações. Já não podia recuar e desmentir a farsa que havia armado. De algum modo, tinha de agir para que se cumprisse o sacrifício do Cigano: era sua única salvação.

Nervoso, deslizou entre as pessoas e foi se trancar em casa, esperando.

Anoiteceu. Os homens se retiraram e só uns poucos permaneceram na venda. No ambiente, flutuou a certeza de que os acontecimentos se precipitariam de um momento para outro.

Jacinto era dos que alimentavam essa certeza. Puxou Ramón para um canto.

– Você deve ficar alerta – recomendou –, porque o Cigano não demora a chegar.

Tirou o fura-gelo do embornal e o amolou várias vezes.

– Prontinho – disse, entregando-o a Ramón, que o recebeu com certo desassossego.

– Não pense – acrescentou Jacinto –, mate sem pensar.

Ramón contemplou a ponta afiada que brilhava sobre a palma de sua mão. Já não tinha tempo para ensaiar as falsas arremetidas contra as costelas de uma rês morta, nem para mais conversa. A tocaia, a verdadeira, estava começando.

CAPÍTULO FINAL

1

Despertou pouco antes do amanhecer com a barulheira das gralhas que crocitavam nos galhos da macieira sob a qual ele havia estacionado a caminhonete. Apesar da raiva que sentia contra Carmelo Lozano pelo dinheiro que ele lhe havia subtraído e da inquietação por saber que, dali a algumas horas, sentiria de novo em suas mãos o corpo de Gabriela Bautista, dormiu tranqüilo. Nem sequer o calor sufocante que se encerrara no interior do cubículo lhe perturbou o sono.

O Cigano abriu a portinhola e todos os pássaros levantaram vôo. Esticou a cabeça para fora, a fim de aspirar o ar fresco da manhã: cheirava a cana queimada. Sentou-se sobre um isopor e calçou um tênis. Saiu do cubículo traseiro e olhou o morro do Bernal delineado entre as sombras do horizonte. Logo passaria por ali.

Acendeu o fogareiro e botou para esquentar a água do café. Não tinha pressa. Era melhor esperar que o marido da Bautista saísse, rumo às plantações do Salado. Se chegasse a Loma Grande às oito, podia ter certeza de que seu rival estaria longe.

Preparou o café com cinco colheradas de açúcar e uma de leite em pó. Era o que sua mãe fazia, quando ele era criança. Ela insistia em que o leite adoçado lhe dava mais energia e o ajudava a crescer mais rápido.

Terminou o café e chupou duas laranjas. Lavou a xícara suja e guardou num frasco a gasolina branca que havia sobrado no depósito do fogareiro. Um coiote passou trotando à sua frente. Os dois se encararam por uns instantes e o coiote, sem demonstrar temor ou alarme, prosseguiu seu caminho.

Ligou o rádio. A estação de Tampico estava transmitindo o programa “Bom-dia, fazendeiros”. Dois locutores sonolentos, fingindo manter um diálogo animado e ameno, comentavam as cartas que recebiam de seus “caríssimos ouvintes”. Depois de ler cada uma e de analisar os “inigualáveis benefícios que os produtos agropecuários Bayer proporcionam”, informavam a hora certa.

Quando escutou que Bayticol era o melhor remédio contra carrapatos e que eram sete horas e dezesseis minutos, o Cigano decidiu partir. Guardou o fogareiro em sua caixa, enrolou o colchonete, dobrou os lençóis e tirou uma laranja do isopor para chupá-la no trajeto. Ligou o motor e esperou que esquentasse. Girou o volante, engrenou a ré e pegou a estrada para Tampico. Dentro de quarenta minutos, chegaria ao seu destino.

2

O primeiro que o viu se aproximar foi Pascual Ortega. Ele distinguiu a caminhonete ao longe, na descida do caminho para El Dieciocho. Atentou para o pequeno ponto negro que se deslocava pela estrada e, ao perceber de quem se tratava, deixou o arado e os cavalos com os quais lavrava o terreno e saiu correndo para o povoado.

Torcuato estava colocando uns sacos de milho sobre o lombo de uma mula no terreiro de sua casa quando começou a escutar uns gritos. Subiu ao telhado e divisou Pascual pulando desesperado entre os sulcos e gritando a plenos pulmões:

– Ele vem aí! Ele vem aí!

Torcuato levantou a vista e descobriu a caminhonete se aproximando do povoado.

– Puta merda – exclamou.

Desceu escorregando pelas chapas do teto, amarrou a mula a um poste e, às pressas, dirigiu-se ao curral de Jacinto Cruz.

Achou-o no alpendre junto com Macedonio, esquartejando o touro que haviam sacrificado na tarde anterior.

– Já chegou! – berrou.

O magarefe terminou de retalhar um corte, colocou o pedaço de carne em cima de uns jornais velhos e perguntou:

– Quem chegou?

Exasperado, Torcuato respondeu:

– O Cigano, caralho.

Jacinto se endireitou, pegou um pedaço de jornal e limpou o sangue das mãos.

– Já está aqui? – perguntou, com calma.

– Não, mas não demora – respondeu Torcuato, impaciente.

Jacinto pensou por alguns segundos.

– Vá avisar a Ramón. Diga para ele se preparar, que o Cigano já voltou e que eu vou levá-lo para a venda.

Torcuato escutou a recomendação, pulou a cerca do curral e saiu em disparada para dar a notícia.

– E você – continuou Jacinto, dirigindo-se a Macedonio –, fale com quem for encontrando e fiquem perto da venda, para o caso de a coisa ficar preta.

Macedonio partiu rumo aos lotes para reunir as pessoas. Jacinto embrulhou os pedaços de carne e os meteu num saco de juta. Guardou na bainha a faca de destrinchar e colocou-a embaixo da camisa. Decidiu que a melhor maneira de interceptar o Cigano era esperá-lo do lado de fora da casa de Rutilio Buenaventura, onde certamente o Cigano chegaria primeiro, para dali convidá-lo a tomar umas cervejas no botequim de Ramón.

Transpôs o portão do terreiro e reparou em Pascual, que entrava no povoado vociferando:

– Ele vem aí! Ele vem aí!

3

Justino Téllez deixou o copo de leite sobre a mesa e reclinou o corpo no encosto da cadeira. Tinha escutado os gritos de alerta de Pascual e o vozerio que a eles se seguira. Agora, percebia o ronco da caminhonete do Cigano, que se aproximava.

Fechou os olhos. Já ouvira muitas vezes aquele estrépito peculiar que antecede a morte. O mesmo estrépito que ele escutara na manhã em que os três irmãos Jiménez haviam assassinado Nazario Duarte; o mesmo estrépito da noite em que Rogaciano Duarte incendiara, por vingança, a choupana de Hipólito Jiménez, queimando-o até incinerá-lo junto com a mulher e as duas filhas; o mesmo estrépito da tarde em que oito policiais judiciários tinham armado uma emboscada para Adalberto Garibay, crivando-o equivocadamente de balas por confundi-lo com um narcotraficante. O mesmo estrépito: som de passos na poeira, vozes, vaivém de homens e um silêncio esquisito. Um estrépito que, ao fim e ao cabo, a gente só escuta por dentro.

Pegou o copo e agitou-o com suavidade. Contemplou como o leite aderia às paredes do copo e resvalava devagar. Podia ir naquele momento até a estrada e prevenir o Cigano sobre o ataque iminente. Podia dirigir-se à venda e esclarecer a Ramón que o Cigano não tinha nada a ver com o crime, que a namoradinha dele – se é que na realidade Adela era namorada dele – tinha sido apunhalada pelo mesmo homem com quem se deitara minutos antes de morrer, e que não valia a pena vingá-la com sangue inocente. Podia desmascarar diante de todos o jogo secreto do verdadeiro assassino, que muito provavelmente estaria favorecendo as circunstâncias para propiciar o encontro mortal entre Ramón e o Cigano. Podia calar de uma vez o estrépito da morte que lhe incomodava os ouvidos. Não o fez. Limitou-se a olhar como o leite escorria por dentro do copo.

4

Despiu-se e esvaziou vários copos d'água sobre a cabeça. Para se refrescar, permitiu que a água deslizasse sobre seu torso. Tinha de vencer mais uma manhã de calor e poeira.

Ligou o radinho de pilha e aumentou o volume. Sentou-se na cama e começou a escovar o cabelo. Cantarolou a *cumbia* que o aparelho transmitia. Terminou de se pentear. Levantou-se da cama e se observou no espelho. Rugas minúsculas, quase imperceptíveis, circundavam seus olhos. Gabriela franziu o cenho, com desencanto. Tempos atrás, sua avó lhe dissera que as mulheres que começavam a se enrugar eram como frutas no início do apodrecimento. Era mentira: ela começara a apodrecer antes disso.

Afastou-se do espelho e foi até a despensa. Sentia fome. Passou diante da janela e, através do delgado tecido da cortina, pôde ver Pascual Ortega correndo ao longe, em frente à escola. Notou que ele ia gritando, mas não conseguiu ouvir o que ele dizia por causa do ruído do rádio. Baixou o volume e, quando olhou de novo pela janela, já não viu Pascual. Ficou pensativa por alguns instantes. Logo lhe chegou o ronco de um veículo. Ela aguçou o ouvido: era aquele ronco inconfundível. Abriu a cortina, sem se importar com que a vissem nua da rua, e botou o rosto para fora, tentando descobrir de onde provinha o ruído. Virou-se para a direita e seu coração estremeceu: dobrando a esquina, apareceu a caminhonete preta.

Feliz, Gabriela pulou para a cama e tirou de sob ela a caixa onde guardava sua roupa. Começou a se vestir às pressas e de repente se deteve.

– Vão matá-lo – exclamou em voz alta.

Embrulhou-se num lençol e correu para a entrada da casa. Tinha de atalhá-lo, de avisar a ele que pretendiam assassiná-lo, dizer-lhe que os dois deviam fugir juntos. Escutou três buzinadas: o sinal com que o Cigano lhe indicava que dali a meia hora estaria esperando por ela no lugar de sempre. Com angústia, puxou o ferrolho e abriu a porta. Desesperada, viu que o Cigano acelerava. Mesmo seminua, tentou alcançá-lo, gritando:

– Cigano! – e não pôde gritar mais, porque Ranulfo Quirarte, o Amizade, encostado num dos postes da cerca, perguntou se ela precisava de alguma coisa.

5

Deteve-se em frente à casa de Rutilio Buenaventura. Desligou o motor e repousou as mãos sobre o volante. Tudo parecia calmo, mas era melhor tomar cuidado: Carmelo Lozano não era dado a prevenir sem motivo. Baixou os vidros para que o ar circulasse, refrescando a cabine. Desceu da caminhonete e caminhou até o portãozinho de acesso ao terreno de Rutilio. Como sempre, assoviou para anunciar-lhe sua chegada. O cego não respondeu.

– Está dormindo.

O Cigano se voltou rapidamente para a voz que escutara às suas costas e topou com Jacinto Cruz, que lhe sorria amistosamente.

– Eu também vim procurá-lo – acrescentou Jacinto –, mas ele não responde... e pior, nem sequer soltou as galinhas.

Deixá-las sair era a primeira providência de Rutilio ao despertar, e ainda se escutava o cacarejar das aves dentro da casa.

Jacinto Cruz tirou o chapéu e enxugou o suor que lhe gotejava na testa.

– O sol está demais... a esta hora, já queima – disse, e continuou: – Enquanto o velho não se levanta, por que não tomamos umas cervejas? Eu convido.

O Cigano recusou o oferecimento.

– Prefiro esperar aqui.

Jacinto não desistiu. Deu uns tapinhas no ombro do Cigano e disse:

– Por que essa pressa toda? Às vezes, Rutilio não acorda antes das nove ou das dez. Vamos, anime-se, daqui a pouco estamos de volta.

O Cigano não tinha motivo para recear Jacinto. Inclusive, em suas visitas anteriores a Loma Grande, os dois tinham se embriagado juntos.

– Espere só um pouquinho, vou ver se ele já acordou – pediu. Abriu o portão e entrou no terreiro.

Inquieto, Jacinto o viu aproximar-se da casa. Rutilio poderia deixá-lo de sobreaviso e o plano iria por água abaixo.

O Cigano espiou pela janela e voltou.

– Adormeceu na cadeira de balanço – disse.

– E então?

– Vamos.

6

Quatro vezes ele pegou o fura-gelo e quatro vezes o soltou. Esse era um fura-gelo completamente diferente do que ele empunhara na tarde anterior. Tinha outra forma, outra textura, outra proporção. Era impossível de segurar, não se amoldava à mão.

Torcuato observou desesperado os inúteis esforços de Ramón para esconder o fura-gelo dentro do punho esquerdo da camisa.

– Vamos com isso! – gritou.

Ramón pegou de novo o fura-gelo. Tentou aquietar os dedos e não pôde. Voltou a deixá-lo sobre o balcão.

– Não se acovarde – resmungou Torcuato.

Ele não estava se acovardando, simplesmente não via jeito de ocultar a arma entre as dobras da manga. Não conseguia deter o latejar do coração em suas têmporas nem relaxar os músculos contraídos do antebraço. Torcuato lhe trouxera a notícia depressa demais. Não podia se preparar para matar – ou morrer – tão intempestivamente. Não, assim não.

Torcuato tentou acomodar o fura-gelo dentro da camisa de Ramón, mas fez isso com tal brusquidão que a arma resvalou e caiu no chão.

De repente, Macedonio apareceu na porta da venda e murmurou:

– Eles vêm aí.

Ramón apanhou o fura-gelo com a mão direita e o agarrou com todas as suas forças. Não o soltaria mais.

Torcuato espiou por um buraco na parede e viu Jacinto e o Cigano que se aproximavam.

– Já furaram os pneus da caminhonete? – perguntou.

Macedonio assentiu. Torcuato voltou a olhar pelo buraco.

– Estão perto da casa de Marcelino – exclamou. Ramón apertou a mandíbula e respirou fundo.

– Não deixe que ele saia vivo – disse-lhe Torcuato, indo se esconder junto com Macedonio.

Ramón se posicionou atrás do balcão. Cobriu o fura-gelo com um pano e o manteve o mais baixo possível.

7

Foram indícios leves, quase imperceptíveis, que alertaram o Cigano e o fizeram intuir um ataque-surpresa: olhares de mulheres que, curiosas, vigiavam das janelas sua passagem, homens que, subrepticiamente, escapuliam pelas esquinas, e um silêncio esquisito, pouco usual no povoado àquela hora da manhã.

Sem se alarmar demais, o Cigano se preparou para enfrentar qualquer acometida. Tensionou o corpo e perscrutou cuidadosamente todos os cantos.

Chegaram à venda e ele logo se apoiou de costas contra o balcão. Queria estar de frente para a entrada, para assim vigiar qualquer movimento estranho. Não se importou com o fato de ter Ramón atrás de si: para ele, o vendeiro não significava perigo algum.

Jacinto cumprimentou com um "bom-dia" conciso, ao qual Ramón não pôde responder: as palavras não saíam. Tentou controlar a tremedeira que o sacudia dos pés à cabeça.

Jacinto se dirigiu ao *freezer*, tirou duas garrafas e destampou-as. "Vamos tomar umas cervejas", disse a Ramón, com um sorriso cúmplice. Virou-se para o Cigano e lhe entregou uma. O Cigano pegou-a com a mão esquerda: devia deixar livre a direita, para se defender de qualquer agressão.

Jacinto bebeu um gole e se encostou à parede, junto da porta. Atento, o Cigano o seguiu com o olhar.

Os homens começaram a tagarelar. Ramón, ainda atrás do balcão, não conseguia dominar seus nervos. Na contraluz, o Cigano lhe pareceu mais alto e mais forte do que em sua lembrança. Ocorreu-lhe que jamais poderia matá-lo.

Jacinto, ansioso por causa do aturdimento do rapaz, terminou sua cerveja e pediu outra. Ramón adivinhou que essa era a deixa para ele agir. Contornou o balcão e caminhou até a geladeira. Passou junto do Cigano e sentiu um calafrio. O homem se endireitou para dar passagem ao vendeiro.

Ramón se deteve junto à geladeira, bem à esquerda do Cigano. O fura-gelo vibrou entre seus dedos. Ele ergueu os olhos e vislumbrou o ponto onde devia encaixá-lo. Devagarinho, deixou cair o pano. O fura-gelo ficou à vista.

Com toda a sua atenção concentrada em vigiar a porta, o Cigano não percebeu que Ramón estava armado. Levantou o braço esquerdo para tomar um gole de cerveja. Ramón viu a mancha de suor embaixo da axila e sobre ela lançou a estocada. Fincou o fura-gelo até o punho e tirou-o com um puxão.

Com o golpe, o Cigano deu dois passos tropeçantes e se agarrou a uma prateleira para não cair. Sentiu uma pontada quente no flanco e levou a mão até a axila perfurada. Seus dedos logo se umedeceram. Ergueu a mão ensopada de vermelho e contemplou-a com assombro, como se duvidasse de que o sangue brotava dele mesmo. Tateou de novo o ferimento e encarou Ramón.

– Filho da puta – murmurou.

Brandiu a garrafa de cerveja e, furioso, despedaçou-a contra o tampo do balcão. Assustado, Ramón recuou e empunhou a arma, pronto para atacar. O Cigano meneou a cabeça. Inspirou fundo, de boca aberta, e, à medida que seu peito se inflava, o sangue se espalhava em círculo pelo tecido da camisa. Na embriaguez da agonia, caminhou três metros e se deteve, cambaleante, no umbral. Vislumbrou lá fora duas mulheres que o observavam, pasmas.

– Agora, não – disse, ofegante. Abriu de novo a boca, para tomar ar. Crispou os punhos, fez uma expressão de dor e foi se dobrando devagar, como quem se agacha para apanhar uma moeda no chão, até que desabou pesadamente na terra seca da rua.

Ramón se esgueirou por trás do balcão e, do interior da venda, viu o Cigano vomitar uma última exalação.

8

O corpo ficou estendido de boca para baixo, com o rosto suarento grudado na poeira e os olhos abertos, fitando obliquamente. Jacinto se aproximou e verificou se o Cigano ainda respirava, colocando a palma da mão diante do nariz dele.

– Está vivo? – perguntou Torcuato, que vinha chegando junto com Macedonio e Pascual para rodear o cadáver.

– Não – respondeu laconicamente Jacinto. Levantou-se e entrou na venda. Encontrou Ramón trêmulo e apavorado.

– Você tem de fugir – ordenou.

Ramón olhou para ele, apreensivo.

– Para onde?

– Para qualquer lugar, mas desapareça já.

– Por quê?

Jacinto não respondeu. Com esse silêncio, Ramón compreendeu que sua partida era inevitável. Abriu uma caixa que guardava embaixo do balcão, pegou todo o dinheiro que havia ali e saiu para a rua.

Contemplou por alguns segundos o cadáver do seu inimigo e começou a correr.

Nervosa, a viúva Castaños emergiu da casa, depois de espiar o assassinato por uma fresta na parede, e viu seu filho se perder na distância.

9

Correu e correu por entre as veredas e se deteve quando suas pernas já não agüentavam. Sentou-se numa pedra para descansar. Estava longe de Loma Grande, muito além do Assentamento Pastores. Examinou o fura-gelo ensangüentado, que ainda trazia na mão. Limpou-o com saliva, cuidando para que não restasse nenhum vestígio de sangue, e guardou-o na cintura.

A manhã lhe pareceu vazia das coisas de sempre: já não existiam o mesmo calor de todos os dias, nem o mesmo ar, nem o mesmo chiado das cigarras. Algo havia mudado tudo, tornando-o diferente.

Sentiu sede e fome. Pareceu-lhe um erro não ter fugido pela trilha que margeava o rio Guayalejo. Ali, pelo menos teria acesso à água e poderia roubar os camarões dos cofos dos pescadores. Agora, o rio estava a vários quilômetros.

Perambulou pelo terreno pedregoso para procurar o que comer. Chegou a uma plantação de sorgo e, de uma touceira, arrancou um cacho de grãos maduros. Experimentou-os com a ponta da língua para determinar se estavam ou não fumigados: era a temporada em que os teco-tecos pulverizavam os cultivos dos ranchos particulares. As sementes não tinham gosto amargo, indicação de que estavam livres de inseticida, e ele devorou vários punhados.

Abandonou a plantação, observou a posição do sol e dirigiu-se para o norte: achou que o mais conveniente era ir até o Kansas, em busca do seu irmão.

Caminhou alguns minutos pela trilha e parou de repente. Remexeu várias vezes os bolsos, procurando o retrato de Adela. Em vão: não o trazia consigo. Teve ímpetos de retornar a Loma Grande, de arriscar-se por ela mais uma vez, mas isso lhe pareceu uma loucura: afinal, quem era Adela? Começou a andar para o norte. Passos adiante, deteve-se outra vez: Adela era tudo e ele não podia esquecê-la, simplesmente não podia. Deu meia-volta e divisou ao longe o morro do Bernal. Então passou a caminhar para o sul, cada vez mais depressa. Logo teria Adela de volta, mesmo que numa fotografia amassada, em preto-e-branco e três quartos de perfil.

Este livro foi diagramado utilizando a fonte Times New Roman, e impresso pela **Gráfica Vida e Consciência** em papel Pólen Bold Natural 90g, no terceiro trimestre de 2008.